幸運を引きよせる

スピリチュアル・ブック

江原啓之

三笠書房

プロローグ――〝不思議な力〟を味方にする本

決して偶然ではありません、あなたがこの本を手にしたことは……。

まさにこの瞬間に、ガーディアン・エンジェル、ガーディアン・スピリット（守護霊）があなたに手を差しのべようとしています。

あなたのガーディアン・スピリットたちがあなたを導き、本当に幸せになってもらいたいと願っている様子が私には見えるのです。

この世に偶然はありません。ただ、あなたがその真実を知らないだけなのです。

私はスピリチュアル・カウンセラーです。スピリチュアリズム研究所を開設してから今日まで、毎日のようにさまざまな人々の相談を受けてきました。また、『an・an』をはじめとする雑誌の中でも、多くの人の心を見守ってきました。

恋愛、結婚、仕事、家族を含めた人間関係、病気や金銭的なこと、心の問題、人生の目的etc.……人は誰でも何かしらの悩みを抱えていることを実感しながら、今も人々の人生を切り開くお手伝いをしています。

スピリチュアル・カウンセラーといっても、私は特別な人間ではありません。ただ、目に見える世界だけでなく、目に見えない世界、人の過去や未来までもが見える能力を持って生まれただけのこと。ごくごく普通の生身の人間です。だからこそ、みなさんの心の悩みが身にしみてよくわかります。

誤解されている方も多いようですが、「未知の事柄が見える人＝スピリチュアル・カウンセラー」ではありません。つまり、生まれながらのスピリチュアル・カウンセラーなど存在しないということです。スピリチュアル・カウンセラーとは、それらの未知の世界の真理を深く理解し、語れる者を指すのです。ですから、すぐれたスピリチュアル・カウンセラーは高いスピリット、そして人格を備えていなければならないのです。

先ほども書いたように、この世に偶然はありません。すべては神の摂理・法則にのっとって営まれているのです。私たちが日々疑問に思うこと、思うようにならずに愚痴をこぼすこと、不平不満を感じることはすべて、その摂理・法則からそれてしまったために生じることです。あるいは、あえてその人に与えられた使命であると理解することができます。

たとえば恋愛に悩んでいるとしましょう。そのつまずきには必ず学びがあります。経験こそ宝なのです。相談者が「なんで、私ばっかり不幸なの！」と口にするとき、私はチャンス到来と考えます。不満は真理を探究するエネルギーになるからです。すべては本当に幸せになるための学びなのです。

本書では、あなたの日々のさまざまなシチュエーションにスピリチュアルな光を当て、いかに生き、幸せになるかのアドバイスを網羅しました。

この本を手にとったあなたも、きっと何らかの疑問を抱えて生きていることでしょう。その疑問があなたのガーディアン・スピリットに通じ、あなたにこの本を差し出しているのです。いずれ、あなたがそのことに気がつくときが来るはずです。

ガーディアン・スピリットからのメッセージを、この本をきっかけにしてつかんでください。そしてもう悩まない、苦しまない、振り回されない、本当の幸せを手にしてください。

必ずそうできるはずです。

幸運を引きよせるスピリチュアル・ブック／もくじ

Chapter 1

Chapter 2

誰かを好きになるのは、一つの転機です

Chapter 4

Chapter 5

Chapter 6

Chapter 7

本文イラストレーション　クミ・ヨコユ

Chapter 1

あなたにとって一番大切な人は、
すぐそこにいます

私たちは一人では生きていくことはできません。

あなたは、あなたの家族をはじめ、多くの人々とのかかわりの中で生きているのです。その中では楽しいことも、つらいこともあるでしょう。けれど、そのどちらもあなたを成長させようとするスピリチュアル・ワールドからのメッセージかもしれません。うれしいことも、嫌なことも真摯《しんし》な気持ちで受けとめましょう。その中で自分が何を学べるのかを考えましょう。

そうすれば、どんな人間関係もあなたにとってかけがえのない大切なものだと気がつくはずです。

偶然の出会いはありません。
あなたに「必要」な人と出会うのです

初対面の人と会うときは、誰でも緊張します。「どう思われるだろう」「うまくやっていけるだろうか」、そんな不安で胸がいっぱいになります。

そんなときには、こう考えましょう。

この世に、「偶然に出会う」人は、誰ひとりとしていない。必ず何かの縁があるから出会うのだ、と。

ときどき、初対面なのになぜか懐かしさを感じる、という人はいませんか？　この人とは、以前にどこかで会ったんじゃないか、とか、どこかで見たことがある、と思える人。そこに、「縁」というものを感じることがあると思います。

縁には、いくつもの種類があります。

たとえば、私は作家の林真理子さんに、ダイエットの先生を紹介していただいたことがあります。その先生にはじめて会ったときに、「この人とは会うことになっていたな」と強く感じました。互いの人生において、何らかの役割を果たす関係だということを感じたのです。

もちろん、先生のおかげで私のダイエットは順調です。それも大きな意味があるのですが、それだけではなく、会話の中で私は先生の悩みを聞き、少しスピリチュアルなアドバイスをしてさしあげました。それが先生の今後の仕事の方針を決めるきっかけになったと、感謝していただいたのです。

私と先生はそういうご縁だった、私はそういう役割を果たすために先生と出会ったのだなと、そのときわかりました。

縁の中で最も強いのは、「魂の絆」があるものです。つまり、前世での結びつきがあると考えられるもので、こういう相手をツイン・ソウル、あるいはソウル・メイトともいいます。

ソウル・メイトは、共同作業のために結びつくことが多く、恋愛対象になることはあまりありません。恋愛の相手になったとしても、たとえばラジウムを発見したキュリー夫人と夫のように、共同研究者としてのつながりが強いのです。サリバン先生とヘレン・ケラーの場合もそうです。何かしら目的や役目があって、二人は出会います。

ですから、はじめて会った人に懐かしさを感じたときは、その縁を大切にしてください。それがハッピーエンドに到達するかというと、必ずしもそうとは限りません。けれど、大切な縁であることは確かなのです。その相手からは必ず、何か大きなものが学べるはずです。

この世に偶然はありません。これが、スピリチュアリズムの中で最も重要なメッセージです。電車の中であなたの足を踏んだ人さえも、あなたと縁があるのです。

偶然に出会う人はいません。どんな人でも、あなたに何かを教えるために、出会わせてもらった人なのです。それを知ると、自分と人とのつながりがとても神聖になります。どんな関係も前向きに考えることができるようになります。いつもそういう気持ちで、人の中に飛びこんでみてください。

初対面の人と会うとき、その人とどんな魂のつながりがあって、そこにどんな学びがあるだろうか、と考えると、ワクワクしてきませんか?

人との出会い、その意味がわかれば、「ああ、人生ってこんなに楽しいんだ」と実感できると思います。

それを常に心にとめて、新しい出会いを楽しみましょう。

出会う人、出会うチャンスは、「あなた自身」を映す鏡のようなものです

「上司に恵まれなかったら、このダイヤルへ」という人材派遣会社のＣＭがありました。それだけ同僚や上司に恵まれていないと思っている人が多いのでしょう。

また、親友や恋人ができないのは、出会う人に恵まれないからだ、と思うこともあるかもしれません。

けれど、覚えておいてほしいのは、あなたが出会う人は今のあなたと同じ波長（心境）の人だということ。人は、自分と同じ波長の人としか出会いません。波長と違う人とは、まず出会えないのです。

これも、スピリチュアリズムの重要なメッセージです。

たとえば、霊感商法で騙《だま》されて壺《つぼ》を買わされた人がいたとします。そういう人は、「私は騙された。被害者だ」と言って、相手を責めます。けれど、自分がそういう商法にひっかかる波長を持っているから、「お見合い」が成立してしまったのです。

ですから、「私のまわりには、嫌な人ばっかりよ！」と言うのは、「私って、こんなにレベルが低いのよ」「私って、なんて嫌な奴なの」と言っているのと同じです。

自分のまわりにいるのは嫌な人間ばかりだと思ったときは、自分がそういう人間になっていることに気づいてください。

そして、気づいたら、変わる努力をしましょう。自分のテンションを高めて、明るく振る舞うのです。

そうすると、おのずと出会いが変わってきます。「私のまわりには、なぜかいい人ばかりが集まるのよね」と、言えるようになります。それは、あなたの波長が一段レベルアップしたということです。

仕事の人間関係を上手にこなすには、ある程度の「心の鎧《よろい》」も必要です

仕事の中で、人間関係はかなり重要な要素を占めます。「これがうまくこなせれば、どんなにいいだろう」と思っている人も多いでしょう。

私がお会いした女性の中で、「なんて人づきあいのうまい、頭のいい人だろう」と感心したのは、脚本家のXさんです。パーティなどでお見かけすると、にこやかにあいさつして回っていらっしゃる。けれど、決して長話はしません。時間を無駄にしない人なのです。それでも、必ず存在感を印象づけていきます。また、相手に対してどの自分を見せるか、その使い分けがすばらしく上手です。

私は、彼女は本当は気の弱い人ではないかと感じました。けれど、仕事の場ではそれを見せない。つくった人格を演じることができるのです。

口の悪い人なら、「したたか」と評するかもしれません。けれど、仕事をする上で、これは欠かせない能力です。

おそらく彼女は、覚悟を決めて仕事に臨んでいるのでしょう。したたかと言われてもかまわない——そう覚悟を決めている人の潔さを感じました。

実際、そういう仕事のすすめ方を実行するには相当なエネルギーが必要です。エネルギー源は、人それぞれ違うでしょう。人によってはエネルギー源が「貧乏」だったりします。「この貧乏から脱出するぞ」と思えば、それだけで別の自分を演じることができる。

仕事の人間関係をうまくこなすには、そういう覚悟や割り切りが必要なのです。「よし、仕事をするときは、この自分で行くぞ」と覚悟を決めましょう。素《す》のままの自分を仕事に持ちこむと、疲れてしまいます。

自分の内面を見せる相手と、見せない相手を、しっかり区別すること。言いかえれば、自分の聖域を守ることです。自分の素のままを見せられる聖域、つまり、ビジネスの関係以外のつきあいを大切にして、豊かにふくらませましょう。

そしてビジネスの場では、鎧をつけるのです。それを実行するための自分のエネルギー源はどこにあるか、一度よく考えてみてください。

仕事の上では、苦手な人ともつきあっていかなければなりません。

「苦手意識を持たないようにしよう」と思っても、なかなかそうはいきません。たいていの人はある程度なら誰とでも合わせられますが、どうしても合わせられないぐらい苦手な人はいるものです。それはお互いのオーラが合わないからで、仕方がないことです。

そういう苦手な人とつきあうには、コツがあります。

自分自身の魂を封印するのです。

「今から苦手な人と会わなくちゃいけない」というときは、まず鼻から大きく息を吸ってください。そして、おヘソの下のあたり（丹田《たんでん》というツボ）に、フッと蓋《ふた》をするイメージをします。丹田を封印するのです。

こうすることによって、あなたのガイド・スピリットとプラグがつながります。するとと、苦手な人の言うことがまったく気にならなくなります。何か言われても、サッとかわせるだけのゆとりができてくるのです。つまり、自分を出すことも、相手に入りこませることもせずに、封印する。相手が仕事関係なら、ビジネスライクにつきあえるようになります。ぜひ一度、試してみてください。

人の評価、噂はあなたへの大切なメッセージです

人生には、いいときもあれば悪いときもあります。両方を経験すると、人の評価が気にならなくなります。人は実に無責任にあれこれ言うものだ、ということがわかるからです。大切なのは、自分で自分をどう評価するか、ということです。

いつでも自分の正義を忘れないこと。人の言葉に振り回されているうちは、まだ修行が足りないということです。ですから、不運なときというのも人間には必要なのです。いつも平穏な人生だと魂は磨かれません。不運なとき、不幸なときを経験することで鍛えられるのです。人の評価はしょせん人の評価。自分の下す評価とは関係ない、ということがわかってきます。ある意味で、さめた目を持てるようになります。

ですから、人の言葉に一喜一憂してしまうときは、「ああ、まだ自分は苦労が足りないのだな」と考えてください。

「賢者は歴史に学び、愚者は経験に学ぶ」という言葉がありますが、人間はみんな愚

者なのです。だから、経験することが大切です。歴史だけから学ぼうとしても、限度があります。また、歴史だけから学べるとすれば、生まれてくる必要はないでしょう。つらい思いや悲しい思いをする――その経験が大切です。人に泣かされるから、人の気持ちが理解できるようになるのです。

この世は、つらい経験をしながら、大切なことを学ぶ場所なのです。人は、そのためにこの世に生まれてきます。決して安楽を求めて生まれてくるのではありません。人の評価に傷つけられたり、喜んだりしながら、少しずつ自分自身の評価を重視できるようになっていく。その過程と学びが、大切なのです。

ただし、人からの評価を無視しなさいと言っているのではありません。人の評価の中には、神からのメッセージが含まれている場合があるからです。人の評価や噂というかたちで、「そろそろ自分の間違いや欠点に気づきなさい」という神の声が伝わってくることもあるのです。

ですから、人の評価や噂は貴重なメッセージとして、大切に受けとってください。

人からの評価は、一喜一憂すべきものでも、無視すべきものでもありません。冷静に耳を貸すべきものなのです。

どんなときでもあなたに必要な「答え」は用意されています

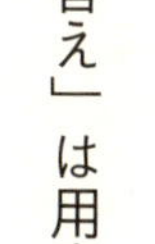

何かをしようと思っても、不安で動けないときがあります。うまくいかないのではないか、人に笑われるのではないかと考えて、思いきった行動がとれないときです。

そんなときこそ、自分のガイド・スピリットをイメージしましょう。

私たち一人ひとりに、ガイド・スピリットがいます。そのガイド・スピリットには、またガイド・スピリットがついています。

すべてのガイド・スピリットを総称して、グループ・ソウルといいます。

これは非常に大きな存在です。その経験の量と質は、はかりしれません。まさに「叡《えい》知《ち》」と呼ぶにふさわしいものなのです。

このグループ・ソウルとあなたは、いつもつながっていると考えてください。

すばらしい叡知があなたの背後に控えているのですから、何も不安がる必要はありません。

理数系の科目が苦手で、どちらかというと文系タイプでした。理数

私の例でお話ししましょう。

学生時代、私は理数系の科目が苦手で、どちらかというと文系タイプでした。理数系科目のテスト前などは、そのことを考えただけで憂鬱《ゆううつ》になったものです。

あるとき、次のテストで失敗すると進級も危うい、という切羽詰まった状態になりました。窮した私は、グループ・ソウルに「どうぞ力を貸してください」とお祈りしたのです。私のグループ・ソウルの中にいる数学の得意なソウルをイメージし、それに向かって祈りました。にっちもさっちもいかない状況ですから、祈りにも力がこもります。

すると、不思議なことに、今までで一番いい点数をとることができたのです。

グループ・ソウルは、偉大なホスト・コンピュータのようなものです。ありとあらゆる知恵が詰まっています。そのコンピュータにプラグをつなぐことによって、自分の中に、今まで気づかなかった能力がわき出てくるのです。

人間の脳をイメージしてください。何億とある脳細胞のうち、使っているのはごくわずかだといわれています。ほとんどが使われないまま、眠っているのです。

それらの脳細胞と同じように、私たちのグループ・ソウルは無限の力を持っていま

す。ただ、私たちがそれを使っていないだけなのです。

あなたのグループ・ソウルの一人が前世を生きたとき、どれだけのものを学んでいるか。何人ものソウルが、何回も、何世にもわたって、知恵、知識、経験を貯《たくわ》えてきている。その結集が、あなたのグループ・ソウルなのです。

その中には、理数系に長《た》けていた人もいれば、文才のあった人もいるでしょう。その人のソウルにプラグを差しこめば、「こうすれば学べるんだよ」ということを教えてもらえるわけです。すると、今までになかった力を発揮できるようになるのです。

もちろん、本人の力がゼロであれば無理です。ただ、プラグをつなぐことによって理解度は増します。そして、結果がついてくれば、自信も生まれます。

グループ・ソウルとプラグをつなぐ、ということを常に忘れないでください。

「プラグをつなぐ」とは、イメージすることです。つまり、グループ・ソウルの存在を信じ、頭に思い描くこと。そして「私とつながってください」という思いを持つことです。これは、練習をすれば誰でもできるようになります。

たとえば、「リンゴ」を思い浮かべてください。頭の中にリンゴのイメージが描けましたか？　描けた人は、すぐにグループ・ソウルもイメージできる、つまりプラグをつなげます。それぐらい簡単なことなのです。

リンゴをイメージできないという人は、少し練習してください。「思い」の力を鍛えることが必要です。意識して、いろいろな物事を頭の中にイメージしてみましょう。心に訴えかけてくるような映画を見たり、本を読んだりするのもいい方法です。

イメージする力、思う力、感じる力は、人生のあらゆる側面で非常に大きな役割を果たします。そこに、エネルギーが生まれるからです。

この力があれば、偉大な叡知とのプラグは必ずつながります。

すると、できることが増えていきます。誰かに応援されていることを、肌身で感じることができるようになり、さらには人生までも変わってきます。

あなたが一人で恐れたり、不安に思ったりする必要はまったくないのです。

この世に「好運だけの人」も「不運だけの人」も存在しません

友達がリッチでハンサムな男性と結婚を決めた。同僚が大きな仕事で成功をおさめた。そんなとき、素直に喜んであげたいと思うと同時に、「うらやましい。それに比べて私はなんて運がないんだろう」と思ってしまう。そんなふうに他人をうらやんでしまうのも、人間の心の習性です。

けれど、覚えておいてほしいのは、人間は絶対的に平等だということです。たとえ、この世の中では不平等に見えたとしても、死後の世界も含めた長いスパンで考えてみると、絶対に平等なのです。

今の一瞬にとらわれるのではなく、長い目で見ればわかります。人をうらやむのは、相手の中身を本当に見ていないからです。

どんなに幸せそうに見える人でも、必ずその分のリスクを背負って生きているものです。

たとえば、「芸能人がうらやましい」と言う人がいます。華やかで、みんなにちやほやされて、お金もあって、何ていいんだろうと。けれど実際は、芸能人ほど不自由な人たちはいません。どこに出かけるにも気をつかい、ちょっとしたことがスキャンダルになります。ちやほやする人たちの本心がなかなか見えず、騙されることも多いでしょう。

人の人生には、必ず光と闇があります。光だけの人生は、ありえないのです。その闇の部分まで見える感性がないから、人をうらやんでしまうのです。言いかえれば、いつも人をうらやんでいる人は、感性が欠けている人です。

人の心の闇も見えれば、人はみんな平等であることがわかります。自分の幸せにも気づくことができるのです。

そのためには、心の視野を広く持ってください。今この瞬間の物質的な栄華に目を奪われるのではなく、その背後にあったであろう闇の部分、その人が今までにしてきた努力、これからするであろう苦労、そういうものも見てください。

人はそれぞれ課題を持って生まれてきています。

自分の今の立場は、自分の課題をクリアするために、与えられたものなのです。

マザー・テレサはこう言いました。

「私はなぜスラムにいるのか。もし神が私に城にいろと言われるなら、私は城にいます。神が私にスラムにいろと言われたから、スラムにいるだけです」

彼女は、スラムにいることを自分に強制したわけではありません。スラムで貧しい人たちを救うことを神が求められたから、スラムに行ったのです。

これは非常にシンプルで、素朴な考え方です。

マザー・テレサは、ダイアナ元皇太子妃とも仲がよかったのですが、ダイアナ妃は、神に「宮殿にいなさい」と言われた人です。悲しい晩年でしたが、地雷の撤去に尽力したり、ボランティア活動に熱心に取り組んだり、世界的に活躍しました。自分に与えられたフィールドを生かしきったといえるでしょう。

自分のフィールドで動きもせずに、他人のフィールドを望むのは幼稚な考えです。

他人をうらやむというマイナスのエネルギーは、あなたの波長を弱め、心を曇らせます。それぞれが、与えられた場所と立場で、どれだけ豊かに過ごせるか。それを考えてみましょう。

あなたの場所はどこですか？　そこで何ができますか？

いいことも悪いこともすべては今のあなたに必要な出来事です

ガーディアン・スピリットは、誰にでも必ずいます。

「それなら、どうして残虐な事件で殺される人があとを絶たないの？」と思う人もいるかもしれません。

現代は、心が凍るような事件が頻発する時代です。ストーカー殺人、いじめによる自殺、動機の見えない少年犯罪。そんな事件を耳にしていると、ガーディアン・スピリットの存在を疑いたくなることもあるでしょう。

誤解されやすいのですが、ガーディアン・スピリットは、お守りではありません。ガーディアン＝守護霊、すなわち「自分を守ってくれる何か」というふうに考えがちですが、そうではないのです。

ガーディアン・スピリットがついているからといって、宝くじが当たるわけではないのです。逆に、ガーディアン・スピリットはあなたを愛するからこそ、宝くじが当たらないようにすることもあります。あなたの苦労も悲しみも、ガーディアン・スピリットが、あえて与えている場合もあるのです。

それは、苦労や悲しみから何かを学ぶことが、今のあなたに必要だからです。

話を残虐な事件に戻しましょう。

死後の世界の住人たちは、死というものを「悲しみ」として受けとってはいません。現世に生きることのほうを「悲しみ」と受けとっています。なぜかというと、現世を生きることのほうがつらいからです。

すばらしい恋愛をして、結婚をして、贅沢《ぜいたく》なものに囲まれ、楽しい思いをしたい。多くの人はそう願います。けれど、それだけのために、人は現世に生まれてくるのではありません。最も重要なのは、精神を成長させること。そのために、生まれてくるのです。人は、物質的に満たされることを目標に生きているわけではないのです。

「長生きすること」も、物質的なことだといえます。

長生きするか、早く死ぬか、ということは、あまり重要ではありません。それよりも、どのように生きて、どのように死ぬか、ということのほうが大事です。

長く生きてさえいれば、ガーディアン・スピリットは喜ぶかというと、そうではありません。

ガーディアン・スピリットが興味があるのは、その人の精神です。

語弊があるかもしれませんが、残虐な死を迎えざるをえなかった人には、その人の生命の課題（カルマ）というものがあります。その人自身が、それを学びとして、あるいは宿命として、受け入れなければいけない場合があるのです。

残虐な事件の被害者に限って、「あんないい人はいなかった」と言われる場合が多いのですが、いい人だからこそ、逆に重い課題を選ぶことがあります。ひどい経験をすることで自分を鍛えたい、と願うからです。

極端に言えば、殺してくれる人がいるから、殺される人の気持ちがわかる。すると、自分は決して人を殺さない人になります。

日常的な例で言うと、憎んでくれる人がいるから、憎まれる人の気持ちがわかる。憎まれる悲しみが本当にわかったら、今度は自分が人を憎まなくなります。

人は、人がいないと学べません。人との関係の中で、苦しみ、悩み、切磋《せっさ》琢磨《たくま》しながらでなければ、何も学べないのです。

7章でも述べますが、スピリチュアリズムでは「憎んでくれる」という言い方をします。

それは、自分に「憎まれる悲しみ」を教えるために、その人が「人を憎む」というマイナスの経験を背負ってくれているからです。そのマイナスの経験は、必ずその本人のもとに返っていきます。にもかかわらず、憎んでくれる。私を成長させるために、罪を背負ってくれている。

ですから、自分を憎む人のことを、憎み返してはいけません。

自分のためにあの人は罪を背負ってくれた。そう考えてみてください。すると、感謝の気持ちさえ起こってくるはずです。

もちろん、一足飛びに憎しみが感謝に変わることはないでしょう。けれど、ほんの少し視点を変えてみてください。そこに、学びがあるはずです。

人の憎しみや悪意にさらされていると感じ、苦しくてたまらないときでも、ガーディアン・スピリットは、じっとあなたを見守っています。あなたの学びを見守り、あなたがよりすばらしい精神に成長するよう、手助けしてくれているのです。

「強い憎しみ」の感情に苦しんだ人は、「強い愛情」をも経験できる人です

殺したいほど人を憎む。この経験は、苦しいものです。

そういう思いをしたことに対して、まず心から慰めの言葉を伝えたいと思います。

殺したいほど人が憎いとき、実際に復讐《ふくしゅう》を考える人も中にはいるでしょう。

けれど、自分の心を殺されるような経験をしたとき、自分の手で相手を罰する必要はありません。すべては神にゆだねればいいのです。

スピリチュアリズムでは、人の行為はすべてそっくりそのまま記録されると考えます。たとえば「闘牛を見て喜んだ」ということさえも、記録に残るのです。その記録をアカシック・レコードといいます。そして、人は死ぬとき、自分の生きた記録であるこのアカシック・レコードを見せつけられるのです。

そのときに、神に恥じるべきはどちらなのか、考えてみてください。

自分の心を殺した相手なのか、殺された自分なのか。罪を犯したのが相手なら、神

がそれを裁いてくれます。

自分が神にかわって相手を罰しようと思うなら、その傲慢《ごうまん》さに気づくべきです。人は神にはなれません。天になりかわって人を罰してはいけないのです。だから、基本的には私は死刑制度にも反対です。

死刑にしたいという気持ちはわかります。けれど、神ではない限り、人を裁くことはできません。それよりも終身刑にして、一生かけて、その人に自分の罪について考えてもらうほうがいいと思います。

人を殺したいほど憎んだときは、アカシック・レコードと、天による裁きを信じることです。人はみな平等です。相手だけが幸せで、あなただけが不幸ということはありえないのです。

そして、心と体を休めて、ゆっくりと傷を癒《いや》しましょう。

少し癒されたら、こう考えてみてください。すべて相手が悪いのではなく、あなたの心が殺されるような結果を生んだのは、自分の波長なのかもしれないと。100パーセント、相手だけが悪いということはありません。大きくいえば、フィフティ・フィフティの部分もあるのです。その自分の罪を浄化するよう努めましょう。それが、

「大人になる」ということなのかもしれません。

また、殺したいほど憎んだ経験は決して無駄ではないということも、覚えておいてください。そういう苦しい思い、泣きたくなるような思いをするために、人は生まれてきたのです。泣くのも、苦しむのも、当たり前。そのための人生なのです。

考えてみれば、人を殺したいほど憎むという経験があるから、反対に、死んでもいいほど人を愛することもできるのです。空腹感がなければ、「ああ、おいしい」と感じられません。それと同じで、人間関係がうまくいかないことがあるから、人と仲良くなれたときの喜びが大きい。努力があるから、それが報われる幸せがあるのです。

苦しいとき、人が憎くて仕方がないときは、なかなかそう考えられないでしょう。けれど、少し肩の力を抜いて、「これも一つの経験なんだ。今、私は大切な学びをしているんだ」と考えてみませんか。少し、心が安らぐはずです。

この考え方は、決して一時の気休めではありません。事実、そうなのですから。

あとになれば、きっとあなたもそのことに気づくはずです。

人に会うのが億劫《おっくう》な日のための「小さなリラックス」法

人と話をするのが億劫だったり、友人同士の集まりに出かけるのも気が進まなかったりすることは、ときどきあります。仕事関係、友人関係、家族関係と、私たちはさまざまな人間関係の中で暮らしていますが、それを一度も「煩わしい」「面倒だ」と思ったことがない人は、いないのではないでしょうか。

とりわけ強くそう感じるとき、その原因は「疲れ」です。

疲れてしまって、自分のエネルギーが弱っていると、人と対するときの「構え」ができません。だから、人からのエネルギーをはね返せないのです。

そういうときに何より必要なのは休息です。無理して人の中に出ていくのではなく、相手に謝って家で休むことが大切です。家でゴロゴロしてもいいし、やさしい気持ちになれる映画を見にいくのもいいでしょう。中でも効果的なのは、植物にふれることです。見るだけではなく、葉っぱにふれてみると、より多くのエネルギーがもらえます。観葉植物でも花でもいいのですが、根がついているもののほうが力強いパワーを持っているので、効果はより大きいでしょう。

私のオフィスにも、観葉植物がたくさん置いてあります。相談に来られる方は心身ともに疲れている場合が多いので、少しでもリラックスして、植物のエネルギーを吸収していただくためです。

オフィスに置くと、観葉植物は枯れやすくなります。悲しみの多い方、体がとても疲れている方が来られると、てきめんに枯れます。

一般の家庭でも、「最近よく花が枯れるな」と思ったら、家族の誰かが悲しんでいたり、疲れていたりします。植物は、そういうシグナルを出してくれているのです。同時に、人間の身代わりになって枯れてくれる場合もあります。植物が枯れないと、人間が枯れるのです。

身代わりになる植物はかわいそうですが、枯れたら新しいものと取り替えて、また育てましょう。枯れたからといって、決して「もう植物を育てるのはやめよう」とは思わないこと。身代わりになってくれたことへの感謝の気持ちを忘れずに、「またエネルギーをわけてください」とお願いして置いてください。決して絶やしてはいけません。

植物は、枯れることで人間の役に立っているのですから、植物なりの生命をまっとうしていることになります。

植物には、フェアリー（妖精）がいます。「フェアリーテイル」というイギリスの映画がありますが、それに出てくる羽の生えた妖精の姿ではなく、キラキラ光る粉をふりまいたように見えます。この妖精は臆病なので、心の強い人の前には現われません。心が弱ったとき、あるいは非常にやさしい心の持ち主の前にだけ現われます。

病人のお見舞いに、なぜお花を持っていくかというと、この妖精が病人を慰《なぐさ》めてくれるからです。お見舞い用のお花には、「病気の人の心と体を慰めてあげてね」と語りかけてください。頭の中に花の妖精をイメージし、プラグをつなぐのです。すると、驚くほど花が長持ちします。退院しても枯れない場合すらあります。ぜひ試してみてください。

植物以外では、水晶も効果があります。水晶には邪悪なものを祓《はら》うクリーニングパワーがあるのです。たとえば、肩凝りがひどいときに水晶で肩をさすったり、枕の中に入れたりすると、ぐっすり安眠できて、疲れがとれます。

水晶をはじめとする鉱物（パワーストーン）には、地球のエネルギーが宿っているのです。地球も生命体ですから、パワーがあります。その力を借りるということです。温泉の効用と同じようなものだと考えてください。

ただ、勘違いしてはいけないのは、石を持つことで人生が変わったりはしないということ。鉱物も植物もあくまで補助食品、サプリメントのようなものです。そういうものの力を借りながら、ゆっくり休んで、心も体も癒していくようにします。少し疲れがとれたら、自分自身を内観してみましょう。なぜ人が煩わしいのか、その理由を考えてみるのです。

そのときに思い出してほしいのは、「人があってこそ、自分が磨かれる」ということです。出会いはすべて、自分の課題として与えられたものであるということ。それを思い出せば、また希望が見えてくるはずです。

そんなふうにしてパワーが回復してきたら、次は人の中に出ていきましょう。煩わしさより楽しさのほうが、より大きく感じられるようになっているはずです。

困っている人・迷っている人と上手につきあう方法

人から「助けてほしい」と頼まれた場合、どうすればいいか迷うことは多いと思います。考えてほしいポイントは二つです。

一つは、自分の行為が、相手に対する愛にもとづくものなのか、それとも自己愛からくるものなのかを見定めることです。人を助けることで、自分がいい気持ちになっている人はけっこう多いものです。

自分の心にもう一度問いかけてみてください。そのことによって優越感を覚えたり、いい気分に浸りたいという感情はありませんか?

もしそうなら、それは自己愛です。助けるかのように見せて、実のところ相手のことを考えていません。当然、あとでトラブルになることが多いのです。

あとで、「恩を仇《あだ》で返された」と思う場合は、「助けてあげた」といい気になっていなかったか振り返ってみましょう。それを反省せずに、相手が仇で返したからといってその人を憎むのは、お門違《かどちが》いです。

次に、本当に人を助けるためには相手をよく見ないといけません。自分自身は無になって、相手の状況を見ることが必要です。

相手の状況、気質、性格、行動を見ていれば、助けるべきかそうでないかは、おのずとわかってきます。

相手に対する愛があれば、相手の本当の状況が見えてくるのです。

たとえば、「お金を貸してほしい」と頼まれたとき、本当に生活に困っていて助けが必要な場合もあれば、ただ愚痴をこぼしているだけの場合、浪費や無理な投資でお金を失った場合もあります。そこをよく見極めることです。

何でも相手の思い通りにしてあげることが愛ではありません。相手をよく観察して、今、手を差しのべるのは、相手にとってよくないと思うなら断るべきです。たとえ憎まれたとしても、あえてそうするのが本当の愛です。

人に助けを求められたときは、以上の二点をよく吟味してから行動してください。

人づきあいに必要以上に敏感になってしまった人へ

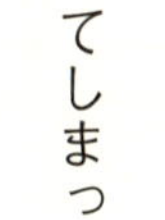

人づきあいが煩わしいという状態が長引いたり、激しくなったりすると、対人恐怖症のようになってきます。

人と会って話をするのが怖いと感じてしまう。

そういう人は、人並みはずれて敏感な人なのです。だから、人の怖さが見えてしまう。

けれど、どんな場合でも思い出してほしいのは、人はみな、あえぎながら生きているということです。どんなに強そうに見える人でも、苦しんでいない人などいません。その事実を肌身で知ること。そして、自信を持つことです。

ただし、もしどうしても自分とは合わない人、会うといつも傷つけられると感じてしまう人とは、少し距離を置くほうがいいでしょう。わがままだと思われても気にしないこと。自分自身の魂が拒絶する人は、「ごめんなさい」と言って避けたほうがいいと思います。

どうしても避けることができない場合は、自分の中に打算がないかどうか振り返ってみましょう。この人と一緒にいると得だと思ったり、世間体がいいだろうと考えたり。そういう打算があると、その相手から離れられません。

打算を捨てて、「今の私には、この人は合わない」と思えば、その人とのかかわりが変わります。

自分の魂の声に素直になって、相手との関係を見つめることです。

それが自分の魂を守ることにもつながります。

何となく素直になれないときの処方箋

自分でもわかっていながら、何となく人の言うことに素直に従うことができない。自分の気持ちとは違うことをしてしまう。人にも、自分にも、素直になれないという経験をしたことはありませんか？

そんなときの自分の心をよく見つめてください。

自分を受け入れていないとき、人は素直になれないものです。「今の私は素直じゃないな」と感じたときは、まずありのままの自分を受け入れるよう努めてください。

これは、簡単なようでいて難しいことです。

人は、ともすればネガティブな方向に考えてしまいます。「こんな欠点だらけの自分なんて最低」などと、マイナス要素ばかりに目がいきがちです。

では、どうすれば「自分を受け入れる」ことができるのでしょうか。

まず、自分自身の幸せを見つめることです。あなたは、本当は幸せなのです。

あなたの後ろには、いつもガイド・スピリットがいます。このガイド・スピリットにプラグをつなぎましょう。素直になれないときは、プラグがつながっていないのです。

たとえば、曇りの日をイメージしてください。太陽は見えません。それと同じように、心が曇るとガイド・スピリットを見失ってしまいます。その曇りを生み出すのは、自分自身の心の想念です。明るい気持ちになれないとき、雲がわきおこって太陽を隠してしまいます。すると、太陽があることさえ忘れてしまうのです。

けれど、太陽は常にあります。あなたが忘れているときでも太陽は必ずあるのです。あなたは常に、ガイド・スピリットという太陽に見守られています。その幸せを感じとってください。感じとろうと意識すれば、プラグをつなぐことはできます。雲のすきまから、太陽の光が見えてくるのです。

自分自身に起こるすべては、ガイド・スピリットから示された学びの課題なのだということを思い出してください。「これを学びなさい。そのために、こういう出来事があるのですよ」と言ってくれているのです。

そう考えれば、どんなことでも素直に受け入れていくことができます。

素直になれなくて心が痛むときは、大きく深呼吸して目を閉じてみましょう。太陽をイメージし、自分を見守ってくれるガイド・スピリットをイメージしましょう。雲が晴れるように、今起こっていることの意味が見えてくるはずです。

でも、どんなに努力をしても、どうしても素直になれない。そんなときは、無理に自分を変えようとしてはいけません。そういうときは体も心も、休ませる必要があるのです。

しかし、特定の人に対して素直になれないときは注意が必要です。

頭ではなく、魂が知っていることがあります。脳よりも魂のほうが叡知があるのです。その叡知が働いて、特定の相手の言うことを表面では受け入れても、内面的には拒否してしまう場合があります。そういうときは、何かがあると疑ったほうがいいでしょう。自分自身を傷つける何か、危険な何かがあるのかもしれません。

そういう場合は、素直になれない気持ちを大切にあたためる必要があります。

魂が何かを訴えているのかもしれないと考えることです。魂が何を教えようとしているのかを知ることはとても大切です。答えが出るまで、時間がかかるかもしれません。でも、自分の心を見つめていれば、答えは必ず出てきます。

たとえ10パーセントでも、それは立派な「愛情」です

愛が信じられない人というのは、家族に何かの問題がある場合が多いものです。「私は、親から愛されなかった」「両親と仲が悪くて、家族が嫌いだった」と言う人は、たくさんいます。それは、もしかするとその人の学びの課題かもしれません。

そういう相談者の方に私は、「一度、ノートに書いてみたら?」と言うようにしています。幼い頃、記憶のある時点から、両親との間に起こったこと、親にしてもらったこと、自分がしてあげたこと、などを書き出すのです。

相談者の中に、幼い頃に実のお母さんが亡くなって、義理のお母さんに育てられた人がいました。今、30歳になる人ですが、小さい頃からずっと家族仲が悪かったそうです。

しかし、彼女のお母さんは、どんなに彼女と仲が悪くて、口もきかなかったとしても、ちゃんと毎朝、朝ごはんをつくってくれたはずなのです。そういうことを見つめ

ていくと、問題はお母さんにではなく、実は「愛を感じられない自分」にある、ということがわかってきます。

今、あなたがここに生きているということは、家族、あるいは家族以外の人の力と愛を受けてきた、ということなのです。

「そんなことはない。私は誰にも愛されていない」と思う人もいるかもしれません。けれど、今、あなたが生きているということ。そのこと自体、あなたが愛されている証拠なのです。

愛されずに生きてきた人は、誰もいません。

人間は愛されないと生きていけない存在なのです。

赤ちゃんの頃は、必ず誰かがおしめを替え、ミルクを飲ませてくれました。それ以後、現在にいたるまで、誰かが何かをしてくれたからこそ、今、生きていられるのです。どんな人でも、愛されてきているのです。受けた愛情の量に違いはあるかもしれません。でも、必ず愛されて生きてきたのです。

家族でなくてもいい。お隣のおばちゃん、親戚のおじさん、誰かがあなたをかわいがってくれたからこそ、今ここに、あなたは存在しているのです。

１２０パーセントの愛だけが、愛情ではありません。たとえ10パーセントの愛でも、それはあなたに向けられた愛なのです。それを感じられるようになりましょう。

「私は１２０パーセントの愛でなければ嫌だ。それ以下の愛は、愛じゃない」そう考えていると、どんなに恵まれた人でも愛を感じる力はゼロになってしまいます。少しの愛でも、その愛を感じてください。その愛に感謝してください。

そうすれば、自分の中に電池のように愛を充電することができます。愛を蓄積していくことができるのです。

すると、その愛を人にあげることができるようになります。人から愛を受けとることも、今よりもっと自然にできるようになります。ますます愛の電池は充電されて、いい循環が始まるのです。

愛が信じられないときは、自分の周囲に必ずある「10パーセントの愛」を感じること。まず、そこから始めてみましょう。

いつでもあなたを愛し、守ってくれる「存在」に気づいてください

この世には、血のつながった家族がいますが、それとは別に、「魂の家族」もあるのです。それがグループ・ソウルです。

この世の中で、「魂のふるさと」を持っていない人はいません。あなたは、たった一人でポツンと生まれてきたわけではないのです。必ず「魂のふるさと」があります。

そこに住む人々が、あなたの「魂の親」、つまりガーディアン・スピリットとなって、この世での生を見守ってくれているのです。

人はみな、この世で産んでくれた親と、魂の親、二種類の親に見守られています。

たとえこの世での親が、生まれてすぐに亡くなってしまったり、あるいは子どもを愛せないような親だったとしても、あなたには魂の親がいます。

魂の親がいない人は、誰ひとりいません。

魂の親は、常にあなたを、あなただけを愛しているのです。あなたがつらいとき、

悲しいとき、試練を受けているとき、常にこの親はあなたに愛を注いでいます。その愛の存在を知ること、「愛は必ずある」と感じることが必要なのです。ですから、スピリチュアルな世界を理解しないと、本当の愛は育たないと私は思います。

人がスピリットの存在であることを知ると、愛を信じられない苦しみから救われるのです。愛されていない人は、この世には一人としていないでしょう。みんな、愛されています。そして、血のつながりがもたらす愛、肉のつながりがもたらす愛よりも、魂の愛のほうがもっと偉大です。

人は、どんなことがあっても、一人ぼっちにはなりません。殺伐《さつばつ》としたこの現代で、孤独に死ぬ人もいます。残虐な事件で殺される人もいます。けれど、その人にもガーディアン・スピリットがいるのです。

ただ、本当に大きな壁にぶちあたらないと、ガーディアン・スピリットの存在、神の存在には気づきません。絶体絶命の危機に陥ったときに、はじめて見えてくるのです。

ですから、経験が多ければ多いほど、スピリットの存在は見えてきます。年齢を重ねた人に神を信じる人が多いのは、そのためです。

万策尽きて、にっちもさっちもいかない。ずるい方法で逃げようとしても、逃げられない。そうなったとき、人は「もう、どうにでもなれ」とやけっぱちな気持ちになります。すると、心が一瞬だけピュアになる。からっぽ、無《む》の境地、といわれる状態です。そのとき、不思議とその人の心から高い波動が出るのです。

そして、「奇跡」と呼ばれることが生じます。

絶対ダメだと思っていたのに、何かが助けてくれた。何かで気持ちや体が癒された。そういう経験をした人は、「この世にあるのは、人間だけの力ではない」と確信するのです。

混乱の時代に生きていると、「(何かの力で) 生きのびさせてもらった」と気づけますが、今の時代は、ある程度以上の危機を経験していないと、なかなか気づけません。「ガーディアン・スピリット? 神様? 信じられない」と思いがちです。

けれど、日常の暮らしの中でも、感性を研ぎすませば見えてきます。対人関係や仕事でちょっとした壁に突きあたったとき、自分の心を素直に開いてみる。すると、スッと救いが降りてきます。そのときが、気づくチャンスなのです。

注意してください。
「言葉」は相手を幸せにもするし、傷つけもします

人の行ないは、すべて神が見ています。アカシック・レコードに記録されているのです。ですから、自分の言葉を悪意に受けとられたり、誤解されたりしたとき、そしてそれを弁明できないときは、神にゆだねるほうがいいのです。何が真実だったのか、長い目で見れば、おのずと明らかになるものです。

ただ、気をつけてほしいのは、人に誤解されることの多い人というのは、言葉による表現方法を間違っていることが多いということです。

人に誤解されて悲しい思いをしたとき、それは一種の警告かもしれないと考えて、自分を振り返ってみてください。

相談者の中にも、「私は人から誤解されることがすごく多くて」と言う方がいます。

そういう人とお話をすると、決して悪気はないけれど、言葉を大切にしていない人だな、と感じることがあります。言葉できちんと人に伝えるべきなのに、「まあいい

や、面倒臭い」と考えているのです。

スピリットな存在になればテレパシーも使えますが、人として生きている間は、そうはいきません。口を使いましょう。言葉を大切にして、言葉で人とつながりましょう。

悪意はないけれど、人を傷つけるようなことを言っていないか。乱暴な口のきき方をしていないか。いつも気をつけてください。それが言葉を大切にするということです。

特にサッパリした性格の人ほど、周囲の人もみんな自分と同じようにサッパリしているだろうと思いこんでいるようです。「これぐらい、気にしないだろう」と考えて、ズバズバとものを言う。けれど、世の中にはサッパリした人ばかりではありません。細かいことを深く気にする人も多いのです。

それに気づいていない人のガイド・スピリットからのメッセージを聞くと、「口は災いのもと」とはっきりと言われます。

ですから、「あなたの言葉で傷つく人もいるんですよ」とアドバイスをします。

「この人には、１００パーセント本音で話しても大丈夫」とか「この人には少し遠慮して話さないと傷つくだろう」とか、相手を見て、言葉を選ぶことが大切なのです。

また、言葉が足りない場合もあります。たとえば、「おなか、すいたね」と言われて「うん」としか言わない人と、「ああ、ほんと、おなかすきましたね」と言う人とでは、印象がかなり変わってきます。

何か失敗した人に対して、「あなた、愚かだよ」とズバリ言う人と、「大変だったね。でも人間なら、愚かなことをしてしまうこともあるわよ」と言う人とでは、どうでしょう。二人とも、気持ちの部分では同じように相手に同情していたとしても、前者はそう思ってはもらえないでしょう。

そんなふうに、言葉で失敗している人は多いのです。今は人とのかかわりが薄くなってきているから、なおさらかもしれません。

誤解されやすいタイプの人というのは、本当は嘘のつけない、いい性格の人が多いのです。ですから、少し注意すれば改善することができると思います。

言葉は人を幸せにもするし、傷つけもします。ていねいに扱ってください。

本当の親友が欲しいなら、まず、あなたが「心を開く」ことです

「親友と呼べる人がいない」という悩みを抱えている人は、たくさんいます。

けれど、そんな悩みを持つ人に限って、人に心を開いていない場合が多いものです。

親友が欲しいと思うときは、まず自分から周囲の人に対して心を開きましょう。

心を開くとは、自分から人に働きかけるということです。仲良くなりたいと思う人と出会ったら、自分から映画やランチに誘うなどしてみましょう。方法はいくらでもあります。

そういう努力をせずに、「親友がいない」と嘆いても始まりません。

特に会社の中の人間関係にがんじがらめになっていたり、仕事が忙しすぎて、社外での人間関係をつくれない人は要注意です。

仕事の関係では、やはり本音はなかなか出せません。ある意味、嘘をつかないといけないときのほうが多いのです。もちろん、仕事の仲間とプライベートな本音も言い

あえれば理想的ですが、なかなかそううまくはいきません。

ですから、できるだけ仕事以外の関係を広げるよう、努力してください。

それと同時に、「親友とは何か」ということを考え直してみることも大切です。

多くの人は、自分に都合のいい人を「親友」と見なしています。つまり、自分の「おもり」をしてくれる人を親友だと思いこんでいるのです。

けれど本当の親友とは、言いにくいことでもズバズバ言ってくれる人です。あなたによくなってほしいと思うからこそ、きついことも言う。お互いに、そういう気持ちで本音を言いあえれば、そこに共感が生まれます。

そういう関係の相手こそ、親友だと思います。

傷口をなめあうように、口当たりのいいことを言いあうのが親友ではありません。

でも、これは私が考える親友の定義です。親友とはどういう存在なのか――あなたが、あなたなりの視点で考えてみましょう。それを考えた時点で、あなたのガイド・スピリットにプラグが差しこまれます。あなたの心に、本当の親友が欲しいと願う「構え」が生まれるのです。すると、必ず親友と出会えます。というより、今まで見えなかった親友が見えてくるのです。

親友は、遠いところから新しくやって来る人とは限りません。あなたの身の回りに必ずいます。あなたが気づいていないだけなのです。過去にあなたと親友になろうとした人も、たくさんいたはずです。あなたがそれに気づかなかったり、忘れていたりするだけなのです。

親友とは自分でつくっていくものです。そう考えて、もう一度、周囲の友達を見回してみましょう。あなたの求める笑顔が、そこに必ずあるはずです。

あなたの「心」によってつきあう人間関係は変わります

ケンカをしたわけではないのに、友人となぜか疎遠になってしまった。ふと気づくと、別の人たちと仲良くなっている。そんなときがあります。けれど、それは決して悲しむことではありません。

人との出会いと別れは、決して悲しんではいけません。変化は必要なことなのです。変わらないと、人間の成長はありません。大切なのは、その変化が自分にどんなメッセージを伝えているのか、それを読みとることです。

人は自分の波長に応じて人と出会うようになっているのです。つきあう人が変わったということは、自分の波長が変わってきたということなのです。自分が成長するために、もう一段、高い波長の人と出会えたと考えてください。

今までのつきあいが薄くなったことを悲しんではいけません。それは仕方がないことなのです。その人の波長が高まってきたときに、また接近するかもしれません。

逆に、自分のレベルが落ちた場合も、相手と疎遠になることもあります。つきあう相手が変わったのは自分の波長が高くなったからなのか、低くなったからなのか、判断することが必要です。周囲に集まってくるのは、すべて自分の波動が呼びよせる人たちなのです。

たとえば、「今日のランチ、嫌な店に入っちゃったな。店員は愛想がないし、味も最悪」と思ったとします。それも自分の波長のせいです。自分の波長、自分のテンションが低かったから、その店に入ってしまった。つまり、テンションの低さが悪い運を引きよせてしまうのです。ですから、人間は常にポジティブでないといけません。「笑う門には福来《きた》る」ということわざは真実です。笑ってテンションを高めることで、今までとは違う新しい環境を呼びよせることができるのです。

今まで仲の良かった人とつきあわなくなって、人間関係が大きく変わるとき、それは運命の転換期です。転換期とは、自分が試される時期でもあります。「さあ、今まで学んだことを新しい環境の中で実践してごらん」と言われていると考えてください。そこでまた、新しい自分を発見できるのです。

ですから、別れは悲しむばかりではなく、新しく努力することが必要な時期でもあるのです。

新しい環境や新しい人間関係に備えて、新しい心の「構え」を持ちましょう。

Chapter 2

誰かを好きになるのは、一つの転機です

私が主宰するスピリチュアリズム研究所でも、恋愛や結婚についての相談はあとを絶ちません。恋を実らせたい、素敵な人と結婚したい、という気持ちはとてもよくわかります。

しかし、考えてほしいのは、「誰かを好きになる」という気持ちにも人生の意味があるということです。というのは、人を好きになるのは人生の一つの転機でもあるからです。そのことによって、自分の生きる目的が明確になり、前向きに発展する関係もあれば、自分を見失い、進むべき人生の方向性を誤ってしまう関係もあります。

好きの嫌いのというのは、今一瞬のことにすぎません。誰かを愛することを通して自分の人生の意味を考えましょう。それがあなたにとって一番素敵な恋愛、結婚をつかむただ一つの道なのです。

あなたには出会うべき人がいます
それは、ガイド・スピリットが知っています

目には見えませんが、私たちには、ガイド・スピリットがついています。

私たちが結婚するときは、見えない世界で、それぞれのガイド・スピリット同士が結婚しているのです。というより、ガイド・スピリット同士が結婚してはじめて、私たちは結婚できるのです。ガイド・スピリットが結婚を決めるのは、「学びのカリキュラム」が、ある程度一致しているということがわかり、「一緒に生きていきましょう」と協定を結んだときです。そのとき、こちらの世界で二人の恋愛が深まるのです。

「学びのカリキュラム」とは、「人生の目標」と言いかえてもいいでしょう。つまり、二人の人生の目標が一致したとき、結婚が成り立つわけです。

こう言うと、「そんなのロマンティックじゃない」と感じるかもしれませんね。

一般的には、結婚するのは、相手が好きだからだと思われています。

「好き」というワクワクする気持ちがないと人間は結婚しなくなるので、そういう感

情を与えられているだけで、本当は、「この二人が結婚すると、ためになる。深く学べる」という理由で、私たちは結婚しているのです。

結婚に夢を抱く人には酷な話かもしれませんが、結婚自体は試練であり、修行です。そのラブラブ状態が続くのは、せいぜい3年。あとは「家族」へと変化していきます。その中で、いろいろな出来事が起こります。それに耐えてより強い「家族の絆」をつくっていく。そういう試練に向かってチャレンジする。それが「結婚」なのです。

たとえば、幼い頃から優秀で何の挫折もなかった人が、結婚して、生まれた子どもに泣かされる、ということがあります。今まで人に頭を下げたことなどない人生だったのに、子どもが人に迷惑をかけるたびに、「すみません」と謝って回る。でもそれは、その人にとって、とてもいい「学び」なのです。人間的に豊かになっていく一つの過程なのです。そんなふうに、自分一人では学べなかったことを、結婚して家族をつくることによって学んでいく。そのために、人は結婚をするのです。

ガイド・スピリットは、その人に必要な学びを与えるために、ちょうどいい相手を探してくれます。二人が一つになれば、より深い学びができると判断されたとき、二人は結ばれるのです。

その出会いを運命の出会いにするのは、あなた自身の「心」です

結婚する人とは、赤い糸で結ばれているとよく言われます。

けれど、赤い糸によって引きあわされることはあっても、赤い糸でつながってはいません。もし、たった一人の人と赤い糸でつながっているとすれば、再婚して幸せになった人はどう考えればいいのでしょう。赤い糸がクモの巣状態だった？　そんなことはありえません。

出会いというのは、ある程度まで「宿命」です。赤い糸が呼んでくるものです。その宿命という土台をどうデコレーションするか、それが「運命」です。出会いをどう変えるかは、努力にかかっています。それによって、運命が変わってくるのです。

人は赤い糸によって、何人もの人と出会います。けれど、その中の誰と結婚するかは、あらかじめ決まっているわけではありません。選択するのは自分です。結婚は運命であり、あらかじめ決められた宿命ではありません。

たとえば、最初に出会った人とは、おつきあいはしたけれども結婚はしなかった。そして次に出会った人と結婚した。そうすると、当然そのあとで出会う人との結婚の可能性は消えるわけです。

この法則を知っていると、一人の人に執着することがなくなります。「この人が運命の人だったのに！」と、嘆く必要もなくなります。

ただし、結婚を決めた相手が最良の人かというと、少し違います。すべては「学び」ですから、一回結婚を決めても、離婚することもあります。けれど、次に出会った人とは、一回目の結婚で苦労して学んだことが実って、とても幸せな結婚ができることもあります。

「運命の赤い糸」とは、そうやって自分で紡いでいくものなのです。

誰かを好きになったとき、まず考えてほしいこと

当人同士が愛しあっていても、お互いが相手の器にそっていなければ、恋は成就しません。血液型が合わなければ、輸血できないのと同じです。お互いにどんな学びが必要か、それが合致した相手としか結ばれないのです。

けれど、自分と相手の学びの課題が結婚するにふさわしいかどうかは、すぐにはわかりません。ですから、片思いの相手がいるなら、相手のガイド・スピリットに祈ることです。「自分の魂を気に入ってください」「彼の学びにふさわしい人間として認めてください」と、ひたすら願ってください。

もし、あなたのスピリットと彼のスピリットの学びが適合すれば、状況は変わるでしょう。状況が変わらないなら、潔くあきらめましょう。それは、「私はダメだ。愛されない」ということではなく、「私には別の人がいる」ということなのです。

もちろん、振り向いてもらえるよう、努力することは大切です。けれど、どうして

もダメなときもあります。それは悲しいけれど、仕方のないことなのです。

そんなとき、「思いに応えてくれない」相手をも受け入れるのが本当の愛です。相手の人生をゆがめてまで結婚を望むなら、それは愛ではありません。

それを心にとめた上で、最大限の努力をしてみましょう。ガイド・スピリットがあなたを認めてくれれば、きっとその恋は叶います。

相談者の中には、「この人と私はうまくいきますか？」と聞く方がいます。「うまくいかないなら別れます」と。無駄に終わるなら、努力をしたくないというわけです。

そういう考え方は、本当の愛からかけ離れています。

うまくいくかどうかは、ただの結果です。それ以前に大切なのは、あなたが彼を好きだという気持ちです。確認しなくてはいけないのは、その一点なのです。

「もしうまくいかないなら、やめておきます」と言う人は、本当は彼のことを愛してはいません。自分が傷つきたくない。つまり、自分しか愛していないのです。人を愛して傷つきたくない。その気持ちは多かれ少なかれ、誰にでもあります。けれど、その臆病さから抜け出さない限り愛は訪れません。魂を輝かせることもできません。

失恋は本当の愛に出会うための大切なレッスンです

別れが訪れたときに大切なのは、「私が彼を愛した」という、その事実を抱きしめることです。人を愛すること、それはすばらしいことです。その結果、たとえ振り向いてもらえなかったとしても、別れることになったとしても、自分が愛したことを後悔したり、悲しんだりする必要はまったくありません。

大切なのは、「愛するプロセス」であって、「愛した結果」ではないのです。

失恋も片思いも、どんどんすればいいのです。失恋があるから、得恋の幸せがある。一度失恋したら、二度と恋ができないということではありません。

一度も失恋を経験せずに結婚をしたとしましょう。でも、その結婚は失敗する可能性が大きいでしょう。異性とのかかわり、それによってもたらされる幸福と、受ける傷の傷《いた》み。それを知らずに、幸せになることはできないからです。

失恋は、人間にとって絶対に必要なこと。失恋で傷つく痛みより、得るもののほうが絶対に多いのです。

もし、傷つきすぎたとしたら、それは傲慢だからです。「この私がふられるはずがない」と思っているから、必要以上に傷ついてしまう。「私はこの程度かもね」という謙虚さがあれば、失恋によってそれほど傷つくことはありません。ひと晩泣いて、立ち直ることができます。

片思いであれ、失恋であれ、してもいいのです。というより、すべきです。それは、いつか本当に愛しあえる人とめぐりあい、幸せになるために必要な試練なのです。

その試練が訪れたとき、「もう、いいや、しょうがない！」と思える人ほど、次の恋では幸せになれます。

そのためにも、「思い出上手」になりましょう。失恋を思い出に変えるのが上手な人のほうが幸せになれます。

あなたが人を愛したということを後悔する必要なんてありません。好きになれる人と出会えた。その人を愛せた。こんなに悲しくなるほど愛せた。それだけでも、自分をほめるべきです。

「失恋した？　早く忘れなさいよ」と言う人がいますが、忘れる必要はありません。

好きな人を忘れることなんて、できるはずがない。無理なのです。

誰でも心の中に、忘れられない人の一人や二人はいます。たとえ今、幸せな恋愛をしていたり、結婚をしている人でも、みんなそうです。

自分にとって最愛の人の存在を消すことはできません。消す必要もありません。

そして、別の人と出会い、その人と新しい幸せを築いていけばいいのです。

それよりも、その人のことを自分の中であたためて、心の中のアルバムの、一番いいページに飾りましょう。

早く忘れようとすればするほど、苦しくなります。逆効果です。愛したことはすばらしいこと。一生覚えておきましょう。

心の中に、一人の人が何十年もいて、あるとき偶然、街でその人とばったり出会ったとします。そのとき、「こんな人だったっけ?」と、魔法がとけるように目が覚める。そんなことも、よくあります。「どうして、あんな人が好きだったのかな。あのとき、私、どうかしてた」と思うこともあります。

人生で愛した人はたった一人なんて、寂しいではありませんか。

たくさんの人と出会い、恋をし、別れたほうが、経験が豊かになって楽しいでしょう。学ぶことも多いはずです。

失恋し、傷ついて、はじめていいパートナーといい関係が築けるようになる。そのためにも、失恋は必要なことです。みんな、どんどん人を好きになって、どんどん失恋すればいいのです。決して恐れてはいけません。

そうは思っても、一人の人をどうしても忘れられないというとき。これは、その恋がすばらしかったからというより、幼い頃から心の中に積み重なった寂しさのせいということもあります。

そういう意味で、失恋の痛手からどうしても立ち直れないときは、自分の歴史を振り返ってみるのも必要なことでしょう。

そして、自分が愛されてきたことを思い出し、愛の電池を充電することです。

どんなときでも自分の気持ちに嘘をつくのはやめましょう

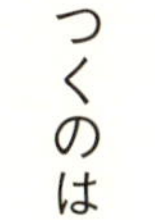

ちょっとしたきっかけで、相手への気持ちが変わることがあります。

あるときを境に、本当に瞬間的に、気持ちがガラリと変わってしまうことはあるものです。たとえば相手の冷たい一面をかいま見てしまったとき。こちらの気持ちがスッと冷めてしまう。それは仕方がないことです。

自分と相手の波長が変わったわけですから、それを否定も非難もできません。

どんなに親密につきあっていても、気持ちが変わったときは、それ以上つきあってもダメです。無理をしてつきあうのはボランティアになってしまいます。

「彼と一度は結婚の約束をしたから」というような「契約」と、「心のあり方」は別ものです。頭で考えた通りにはいかない、義理やしがらみだけでは動けない、それが人間の心です。最も必要なのはその心に忠実になることです。

「この人とは、通じあわなくなったな」と思ったら、こちらが引くという姿勢を貫く。

その勇気を持ちましょう。

相手のことを考えると、申し訳ないと思ったり、悪いことをしていると感じたりするかもしれません。けれど、それは仕方がないことです。悲しいことかもしれませんが、それを認めて、受け入れてください。心変わりをはっきりと相手に打ち明けるほうが、嘘をついてつきあいつづけるより傷は浅くてすむはずです。

そんなふうに誠実に相手とかかわっていれば、恋人としての愛ではなくなっても、友情は残ります。友情のレベルで互いを認めあっていく道は残っているのです。

「あなたが嫌いになった」ということではなく、「恋人ではなくなった」ということを誠意を持って説明すれば、きっとわかってもらえます。

言われた側も、それは受け入れるしかないことです。相手を愛すればこそ、受け入れるしかありません。

「相手を傷つけないためには、嘘も方便だ」という考え方もありますが、この場合は、どうとり繕っても、傷つけてしまうことは避けられません。それなら、相手にも自分にも誠実でいるほうがいいはずです。

どんな場合でも、自分の心に嘘をつくことだけはやめましょう。

どうしても別れられない
――あなたの打算で相手を傷つけていませんか？

あなたの側に打算があると、相手と別れられなくなる場合があります。

たとえば、「今、恋人がいなくてカッコ悪いから、とりあえずこの人とつきあっておこう」と思っていたり、自分に都合よくふるまってくれる異性が欲しいだけだったり。

いずれにしても、そこにあるのは相手への愛ではなく、打算、つまり自分の利益を最優先する気持ちです。

こういう場合、相手とつきあいつづけるかどうかは、自分で決めるしかありません。

そういう打算まじりの関係でも、大人の関係として不都合がなければ続ければいいし、嫌ならやめればいい。

ただし、そこに愛はないということだけは、わかっておいたほうがいいでしょう。

それを愛だと勘違いしていると、相手も自分も傷つけることになります。

また、打算ではないけれど、相手に執着して別れられない場合もあります。

たとえば、相手に遊ばれているのはわかっているのに、どうしても別れたくないというとき。そんなときは、「自分は、遊ばれて平気な女ではない」という自信と誇りを取り戻すこと。プライドを持つことです。

相手に執着するあまり、相手に媚《こ》びたり、愛を乞うたりしては、自分自身がみじめになるだけです。

また、悲劇のヒロインである自分に酔っていないかどうか、チェックすることも必要です。「私って、かわいそう」と思いこみ、一人芝居を演じている場合も、ときにはあります。そういう自分が好きならいいのですが、いつまでもそんな一人芝居を続けていては、幸せになれません。

みじめな恋を終わらせるのは、ほかの誰でもない、あなた自身なのです。

どうせ演じるなら、悲劇のヒロインではなく、健気で強いヒロインを演じましょう。そういう努力をしていれば、きっと明日には新しい出会いが用意されているはずです。

「かなわぬ恋」と向きあう人へ、覚えておいてほしいこと

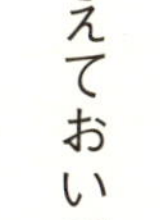

いわゆる不倫と呼ばれる恋には二つのパターンがあります。

一つは、前向きな不倫。好きになった人に、たまたま奥さんがいただけで、お互いに純粋に愛しあっている場合です。

こういう場合は、恥じる必要は一切ありません。人間は完璧ではありませんから、間違った結婚をしてしまう場合もあります。それに気づいて新たな結婚を望むなら、それは悪いことではありません。素直に過去の非を認め、やり直せばいいのです。

男性が既婚者だった場合、「略奪愛」などといわれますが、何も相手を脅迫して強盗するように奪ったわけではなく、互いに愛しあっているから、もとの相手と離婚し、再婚しただけのことです。それだけで、「略奪愛」と呼ぶのは失礼だと思います。「略奪愛」と言われて結婚して、幸せになった人はたくさんいます。

「人のモノを盗むなんて」と非難されがちですが、お互いが好きで一緒になりたい場

合は仕方がないことです。確かに、奥さんが被害者である側面はありますが、奥さんにも原因はあるわけです。

きちんと謝罪して正式に離婚したなら、恥じることはありません。相手との将来を本気で考えている真剣な恋なら、不倫でもOKなのです。

そういう恋ではなく、家庭は家庭で残し、都合よく相手とつきあって、お互いを刺激するだけの関係、これは後ろ向きの不倫です。セックスだけが目的のこともあるでしょうし、それ以外の打算が入っている場合もあるでしょう。

それに関しては、お互いが責任を持てる範囲でなら、周囲がとやかく言うことではありません。不倫がいいか悪いか、ということは、国によっても時代によっても違います。江戸時代には大奥があったわけですし、今でも一夫多妻制の国はあります。

ただ、今の日本での不倫は妻や夫を騙すことになります。そのこと自体は罪です。それは自覚しておいたほうがいいでしょう。騙しつづけることは絶対にできません。いつかは必ず知られる日が来ます。

あえて後ろ向きの不倫をする場合、一番気をつけないといけないのは心が汚れるということ、心を傷つけているということです。後ろめたい思いをして、魂を汚すことになります。

確かに、結婚生活はいいことばかりではありません。夫婦の心がすれ違って寂しいときもあるでしょう。でも、そのせいで不倫をするぐらいなら潔く別れたほうがいい。「不倫をしていると、夫にやさしくできる」と言う女性もいますが、それは免罪符《めんざいふ》として、そういう理屈をつくり上げているだけです。

浮気をしないと夫にやさしくできないのなら、夫への愛はないということと同じです。愛情はないけれど、離婚できないのはなぜか。打算があるからです。経済的な安定とか世間体、つまり打算のために夫をキープしているにすぎません。

「不倫をしていると、夫にやさしくできる」という妻は、結局は自立できていないのです。だから愛もないのに、お金のために奴隷になっている。そんな人生は誰だって嫌でしょう。必要なのは自立です。

本当に一生懸命、主婦をしている人は、胸を張って誇りを持って仕事をしています。後ろ向きの不倫で不満を解消しつつ、奴隷の人生を生きるのはやめましょう。

愛がないなら、潔く別れて、新しく真剣な恋愛をすればいい。そのほうが絶対に得るものは大きいはずです。後悔しない人生になるはずです。

「二人とも好き」は「二人とも嫌い」と同じことです

「Aさんも好きだけど、Bさんも好き」と言う相談者には、厳しいようですが「嘘を言っちゃあいけないよ」と、私は言います。二人とも好き、というのは方便です。それは、ただの恋愛乞食です。自分が誰かに愛してほしいだけなのですから。

そういう人は、自分が「愛を貪っているだけだ」という自覚がないから、自分の中の愛の電池もたまりません。

「自分には愛が不足している」と自覚して、誰かに甘えているのであれば、愛はやがて蓄積します。でも、自覚のない恋愛乞食になってしまうと、愛の充電はできないのです。これでは「愛のアメ車」のようなもの。燃費が悪くて、せっかくたまった愛をすぐに使いきり、ガス欠になってしまいます。

二人の人を好きになって悩んでいるように見える人は、「得る」ことだけでしか愛を考えていないのです。「与える」ということがない。あるいは、Aさんにないことを、Bさんに都合よく求めていたりします。

本当の愛というのは、相手のよい部分も、悪い部分も含めて認め、受けとめることです。

Aさんはやさしくて穏やかだけど、一緒にいてドキドキするような刺激はない。だから刺激はBさんに求める。本当の愛は、そんなふうにパーツごとに取り替えられるものではありません。そんなふうにしか人を愛せない人は、ある意味で気の毒です。

相談者の中に、婚約者が事故で半身不随になった人がいました。子どもも望めない体になってしまい、家族や友人からは結婚を猛反対されましたし、彼も「別れよう。自分のことは気にしなくていい」と言ったそうです。

私は、彼女から「結婚してもいいでしょうか」と聞かれたとき、正直言って迷いました。彼が治って歩けるようになる見込みは、ほとんどないのです。一生、車椅子の夫に寄り添って生きていけるのか。それが彼女の幸せになるのか。それは誰にもわかりません。彼女の判断にゆだねるしかないのです。

彼女は、考えた末、その愛を貫いてその人と結婚しました。

人間は、肉体的に、あるいは経済的に恵まれてさえいれば、それでいいわけではありません。最も大切なのは、強い心の結びつきです。たとえ五体満足でも、もし相手のよい部分、自分に都合のいい部分しか愛せなくて、三角関係になったり、つらい不倫関係になったりしているとすれば、先の彼女の彼に対する愛に負けるでしょう。きちんと人を愛せないからです。

見た目には、彼女のほうが不幸かもしれません。けれど、どんな障害にも負けない、強い愛のもたらす喜びを彼女は知っているのです。

セックスは愛情をわかちあうための大切なコミュニケーションの一つです

セックスは、決してふしだらなものでも、みだらなものでもありません。愛を育むためのもの、喜びであり、安らぎをもたらしてくれるものです。

ところが、現在もなお、結婚前のセックスに罪悪感を抱く人がいます。セックス自体に罪悪感を感じる必要はありません。個人の責任で楽しめばいいことです。

心も体も含めて相手の全部を好きになり、はじめて「結婚したい」という気持ちになるものですから。体だけを、汚いものとして、あるいは逆に神聖なものとして、心と切り離して考えるのはおかしいのです。

セックスに罪悪感を感じる理由の一つに、キリスト教の害があげられます。たとえば、若い男の子がマスターベーションをすることさえ、カトリックでは禁じています。それは、人間の生理機能を認めていない教えだと思います。

人間には性欲があります。それは当然のことで、自然の摂理なのです。

イエス・キリストが厳しい戒律をつくったわけではありません。聖書の記述をしたキリストの弟子の一人が、性に対して偏見を持っていたので、厳しくしたのだと言われています。おそらく人一倍、性に執着していたから、自分を戒めるためにも、そういう戒律をつくる必要があったのでしょう。

結婚後も、二人の愛を確かめる行為としてセックスは大切な要素です。セックスレスの夫婦も増えていますが、互いに了解した上でのセックスレスならまだしも、どちらかが我慢しているという状況はよくありません。

また、性的虐待を受けたり、男の人にからかわれたりして、心に傷がある場合も、セックスが怖くなってしまうことはあります。

そういうトラウマを乗り越える、とっておきのメディテーションを紹介しましょう。

まず最初に、目を閉じてください。

芝生の公園を思い浮かべましょう。その公園の真ん中には、道があります。

そこを歩いていくと、広場がありました。真ん中に、モニュメントがあります。さて、そのモニュメントは何でしょう?（例「白い石でできた高い塔」）

（　　　　　　　　　　　　　　　　　　）

そのモニュメントの下には、木の箱が置いてあります。

その中に、あなたがほしいもの、必要なものが何か入っています。

それは何でしょう？（例「水晶の玉」と「才能」）

（　　　　　　　　　　　　　　　　　　）

では、それを持って、また先へ進みます。

今度はバラ園がありました。そこをくぐり抜けると、水辺に出ました。

さて、どんな水辺でしょうか？（例「川」）

（　　　　　　　　　　　　　　　　　　）

では、その水辺の向こう側に行きたいと思います。まわりを見回して、使えるものがあれば何でも使ってかまいません。

どんな方法を使いますか？（例「橋が渡してある」）

（　　　　　　　　　　　　　　　　　　）

さて、向こう側につきました。

この水辺（川、海でもＯＫ）は、どれぐらいの大きさでしたか？（例「歩いて渡れるような小川」）

（以上のメディテーションで、あなたの心理状態がわかります。）

最初に出てくる「モニュメント」とは、自分の理想とコンプレックスがまじったものです。たとえば「白い石の塔」というと、とても崇高なイメージです。そういうものを求めているということになります。

「箱の中に入っていたもの」は、自分が欲しいものです。「水晶」と「才能」と答えたとすれば、これは、今、「才能がない」と感じているということです。

「白い塔」という答えからわかるように、常に崇高なものを目指しているので、いい加減なところで終わりたくない。完璧主義の権化のようになっているのでしょう。

次に出てくる「水辺」は、自分の夢を実現する妨げになるものです。「小さな川」と答えた人は、夢を実現するのはたやすいことだと考えているのです。

ただ、川を出したということは、「向こうには渡れる。足さえすくわれなければね」というように、常に危険を考えているということでしょう。誰かの妨害を受けるとか、あるいはツキがあるかどうか、ということを意識しているのです。

「向こうに行くのに使った方法」は、夢を実現させるための手段です。「橋がかかっている」というのは、安易な方法です。他力本願。これが、「泳いで渡る」という答えなら、自分で努力して夢を叶えようとしていると考えられます。

こういうセオリーがわかれば、次は自分で工夫して、ストーリーの中の物事を変えていきましょう。どんなモニュメントがあるのか、どんなものをもらうのか、どんな水辺に出るのか、どんな方法で向こう岸に渡るのか。それぞれ、自分にとって一番必要なものをイメージするようにしましょう。

この方法を教えてくれたのは、イギリスの超能力犯罪捜査の達人、ネラ・ジョーンズです。

このネラ式メディテーションを使えば、トラウマを克服することも可能です。性的虐待の記憶に悩む人、親が嫌いでうまくつきあえない人などにも効果があります。

性的虐待のトラウマを持つ人の場合、たとえば、モニュメントは「軍神マルス」、もらうものは「刀」だったりします。水辺は、「とても渡れないような広い海」、向こう岸に渡るには「こぎ手のいるゴンドラに乗って」というようなイメージが出てきます。それは、その人が常に戦っているということであり、刀で心の傷（相手の男性）

を断ち切りたいと思っているということです。「広い海」が表わすのは、断ち切りたくても、なかなか断ち切れない、という状況でしょう。その状況を克服するには、誰か他の人の力（ゴンドラのこぎ手）を必要としている、ということです。依存心が強くなっていることがわかります。

そういう人は、たとえば「軍神マルス」を女性美を意識した「ヴィーナスの像」に、箱の中の贈り物を「刀」ではなくお化粧に使う「鏡」などにしてみるといいのです。

「女の子として生まれて、とても幸せ」という思いを強くしていくのです。

また、「広い海」を「向こう岸の見える池」に、「ゴンドラで渡る」を「自分で泳いで渡る」というイメージに変えていくことが必要です。つまり、「嫌な記憶は絶対にすぐに忘れられる」と、自分に暗示をかけるのです。

このように自分のイメージをコントロールして、傷を乗り越え、恋愛もできるようになったという例が実際にあります。イメージの力は、それぐらい大きいのです。

独身の自分を存分に楽しんでください
運命の人はそういうときに現われるものです

「結婚したいのですが、なかなか相手とめぐりあえません。どうすればいいですか？」という相談をよく受けます。

「〇歳までには結婚したい」と言って、合コンやお見合いをくり返したり、結婚市場で自分という商品をセリにかけるみたいに考えて、「〇歳を過ぎると値崩れを起こすから、それまでには」とあせっている。そんな考え方はナンセンスです。そういうときは、かえって出会いは訪れません。

結婚をあせっている人に、私が必ず言うのは、「独身時代を大切にしなさい」ということです。独身でいることを謳歌《おうか》してください。

結婚して子どもでもできれば、海外旅行にもそう簡単には行けません。

二人の暮らしが始まってしまえば、離婚しない限り、独身時代はもう一生ないのです。今しかできないことに真剣に取り組みましょう。結婚をあせって悩むのは時間の無駄です。

そうやって、独身を楽しんでいると、自然に相手も見つかるものです。

今しかできないことをやっていると、知りあう異性は増えていきます。最初は結婚なんて考えていなかった相手が、やがて恋愛の対象になり、結婚を考えはじめるようになったりします。こういう相手は、最初の印象はパッとしないかもしれません。けれど、じっくり相手を観察し、自分との相性を考えられるので長続きするのです。

独身時代は、種をまく時期だと考えましょう。

種をまくには、外に出なければなりません。「出会いがない」と嘆く人に限って、行動範囲が狭かったり、新しい人と出会う場に出かけていなかったりします。

相談に来る人に、「○歳頃に、結婚相手と出会えますよ」と答えたとしても、もしその人が山奥にこもっていたら、出会えません。出会うのはクマぐらいです。山奥で待っていれば白馬に乗った王子様が迎えにきてくれる、なんてことはありえません。

まず、人がたくさんいる場に出ていくことが大切です。

神様の立場に立って考えてみましょう。あなたが神様で、あなたと未来の結婚相手をどうすれば、結婚させることができるか、考えているとします。じっと家に閉じこもっている人なら、「うーん、これは難しい」と頭を悩ますけれど、外に出て、あちこち動き回っていたり、「いい人がいたら教えてね」と言っている人なら、「よし、じゃあ、この人を介して、この街で出会わせることにしよう」とアレンジしやすいでしょう。

未来の結婚相手と出会えるように、神様のお手伝いをするつもりで、できるだけ、出会いの幅を狭めないことです。

「コンピュータでのお見合いなんて、嫌」と言う人がいますが、相談者の中には、コンピュータによる紹介システムで結婚した人が、かなりたくさんいらっしゃいます。

次に大切なのは「タイミング」と「念力」です。

この二つは、強運になるポイントでもあり、人生に必要なポイントでもあります。

子どもの頃、みんなで遊んだ縄跳びを思い出してください。

縄の中に入っていくには勢いが必要です。「今から入るぞ」という思いを持たなければ入れません。その思いが念力です。そして、タイミングを見計らって、「エイヤッ！」と入る。

この念力とタイミングがあって、はじめて縄の中に入ることができるのです。

縄の中に入って跳んでいるときも、「疲れたな」「ダメだな」「足がひっかかるかも」と思うと、必ず足がひっかかります。「絶対に跳びつづけるぞ」「足をひっかけないぞ」と意気込んで跳んでいると、まず大丈夫。

縄から出て休むときも、「出るぞ」と心を決めて、「エイヤッ！」とタイミングを見計らって抜け出す。すると、サッとうまく出られます。「どうしようかな」「いつ出ようかな」と思っていると、必ず足に縄がからまります。

「絶対に跳ぶぞ」「絶対に出るぞ」という勢いが、人生にも必要なのです。当然、結婚相手を探すときにも必要です。

「ダメかもしれない」「出会いなんて、ない」というマイナスの想念はタブーです。「必ず出会う」と念じてください。そのとき、ガイド・スピリットに「結婚相手と出会わせてください」とお願いしましょう。すると、出会いが早まることがあります。

出会ったら、タイミングを見計らって、思いきって飛びこむ決意が必要です。せっかく出会っているのに、いつまでも「どうしようかな」と悩んでいると、相手がしびれを切らして「僕のことが嫌いなんですね」と去っていくこともありますから。

人生は、念力とタイミング。これを忘れないでください。

障害のある結婚に迷っている人への「スピリチュアル・メッセージ」

結婚を反対されたとき、必要なのは、愛と自立心です。

二人の間に愛があるなら、年の差が20歳あろうと関係ないし、育った家庭環境の違いも関係ありません。

ただし、自分という人間の器ではその障害を乗り越える自信がない、という場合は、あきらめればいいのです。相手に申し訳なくて、「反対されたから結婚できません」と言えないとか、正義感だけで考えてはいけません。

猛反対の中でも愛を貫けるという自立心が自分にあれば、結婚に踏み切ればいい。それがなくて、自分の中にも不安があるなら、今は時期ではないとあきらめるべきです。それもまた勇気です。

その人の器に合わない結婚は、うまくいかない場合が多いのです。人それぞれに器というものが、やはりあります。結婚は長丁場ですから、無理をしすぎないほうがいいのです。

たとえば、玉の輿《こし》といわれる結婚がありますが、それは人がうらやむほどいいものではありません。本人は、けっこうつらい思いで暮らさないといけなかったりもします。

そのつらさを乗り越える強さがあるなら、突き進めばいいでしょう。その強さの源は、他人に頼らず、自分一人の力でも生きていけるという自立心です。

また、玉の輿とは反対に、「彼より、私の家のほうがお金持ちだから、結婚に反対されてるんです」と言う人もいます。しかしそのお金はその人が稼いだものではなく、親のものです。

たとえ自分で稼いだお金があるとしても、結婚は「目方でドン」ではないのです。その人の器とは、お金ではかるものではありません。

「お金がない」ということは、病気とは違います。「今日の貧乏、明日の金持ち」です。どう変わるかわかりません。お金で相手をはかるのは愚かなことです。

結婚相手を見るときは、桜の木を見るように見てください。桜の木は冬は枯れて見えます。けれど、春が来れば、きれいな花を咲かせます。そこまで見通す目を持つことが大切です。

　今は頼りない苗木に見えるけれど、この人は将来、伸びていくだけの根性と性格のよさがある。そういうことを見抜かないといけません。

　すでに何もかも完成されている人なんて、逆にいえばつまらない。未熟な部分はいっぱいあるけれど、「いい苗木ね」と思える人を自分で育てていく。そんな感覚で相手を見てみましょう。

「あんな貧乏な人と結婚するのはやめなさい」と周囲から反対されても、「ううん、あの人はこれからきっといい木に育つ」と思えれば、結婚に踏み切ればいいのです。

　一方、反対はされないけれど、すべて親掛かりで結婚してしまう場合、これも問題です。自立ができていないから、少しうまくいかないことがあると離婚してしまう。親のほうも「いいから、別れて帰ってらっしゃい」と受け入れてしまう。これではいつまでも自立できないままです。それは、一見ラクな生き方に見えますが、実は人生の大きな課題である自立に失敗しているわけで、とても不幸なことなのです。

　結婚を考える場合は、愛と自立心、この二つをはかりにして、相手と自分を見つめてみてください。

シングルか結婚か
——どちらも「自立した自分」が幸せの鍵になります

独身も人生、結婚するのも人生、どちらを選んでもいいわけです。

ただ、独身の人には二通りあります。

自分自身で独身を選択するのか、それとも、独身に逃げこんでしまうのか。この二つはまったく別です。

スピリチュアリズムでは、独身の人のほうが霊格が高いといわれています。

独身の人は、自立心を持って、自分自身に責任を持って生きなくてはならないからです。もちろん、結婚している人でも、自分に責任は持たなければいけないのですが、独身の人のほうが、常に気持ちを張っていなければなりません。

中でも、最も霊格が高い（人格が高い、魂のレベルが高い）とされるのは、神に仕える修道院の人々です。

現代では、修道院というと世を捨てた隠遁《いんとん》生活をするところのように思われていますが、そうではありません。修道院とは本来、家族というものを持ってしまうと、どうしても家族のエゴにとりこまれてしまうから、それを避けるために独身を貫くという方法をとっているところです。

そこにいる人々は、神を夫とし、世の中の人すべてが家族だという気持ちで生きていこうとしているのです。だからこそ、修道院では、両親を失った孤児を養育するなどのボランティアができるのです。

全人類を家族と思う。それが修道の本来の目的です。世の中を捨てて隠遁することが修道ではありません。

そういう広い視野を持ち、すぐれた家族観を持つための独身であれば、非常に霊格が高いといえます。

けれど、コンプレックスやトラウマによって独身のままであるなら、それはまた話が別です。

たとえば自分に自信がなかったり、過去の失恋にとらわれていたりする場合。何か別のもっともらしい理由をつけていますが、実は結婚を恐れているだけだったりします。

自分には克服するべきトラウマがあるのに、それに目をつぶって「結婚なんかしなくても生きていける」と虚勢を張る。それは自分に嘘をついていることになります。嘘をつくのは、どんな場合にもいけないことです。

コンプレックスや、我や、執着で、独身にこだわるなら、それは精神的な発達が見こめない、実りの少ない独身主義になってしまうでしょう。それには、注意しなくてはいけません。

今は独身の人が男女を問わず多いのですが、自分の独身は、修道院の人々ほどではなくても、何かの目的を持つものなのか、それとも目的などなく、ネガティブな恐怖にとらわれてのものなのか、一度、考えてみましょう。

もし、ネガティブな恐怖から結婚を避けているのであれば、一日も早くその考え方から抜け出して、結婚を前向きにとらえ直してみてください。

自分自身でトラウマを乗り越え、常にポジティブに、希望を持って生きていくこと。これは人生全般において必要なことです。

Chapter 3

心はあなたに忠実です、
体もあなたに忠実です

私たちのスピリット（心・精神）と体は密接に結びついています。何となく疲れやすいというとき、それは体を休めてゆっくり静養しなさいというガイド・スピリットからのメッセージなのです。

体の調子が悪いと、いつもなら何でもないことにも不安になったり、恐れる気持ちが生まれてきます。体の健康と心の健康は切っても切り離せません。いつも病気がちで過ごすのと、健康ではつらつと過ごすのとでは同じ時間でもまったく価値が違ってきます。

私は魔法使いではありませんから、病気を治すことはできません。けれど、病気になりにくい心のあり方を示すことはできます。また、その病気があなた自身に示しているメッセージをお伝えすることはできます。

今あなたに必要な心と体のメッセージに耳を傾けてください。それが健康で幸せな人生を送る基本なのです。

毎日の基本
——疲れない、病気にならない「三つのエクササイズ」

スピリチュアリズムでは、肉体の上に、幽体（アストラル体）があると考えます。そして、その二つを合わせて、スピリチュアル・ボディといいます。

肉体とアストラル体とをつなぐものが、シルバーコード（魂の緒）です。これはヘソの緒のようなものだと考えてください。

病気ではないのに体調がすぐれないときというのは、アストラル体と肉体とにズレが生じているのです。何となく「体調が悪いな」と感じる程度のズレなら、たいしたことはありませんが、ズレが大きくなると痴呆症や病気などの「症状」が出てきます。

いずれにせよ、肉体とアストラル体をうまくコントロールできず、両者がうまく重ならないとき、体調が悪くなるのです。

では、どんなときにズレが起こってしまうのでしょうか。

それは、心にショックを受けたとき、あるいは肉体が負傷したり、過労になったり

したときです。そんなときに、体調を整え、体力を回復させる方法があります。

呼吸法

体調を整えるために一番大切なのは呼吸です。

男性はおヘソの下5センチぐらい、女性はちょうどおヘソのあるあたりに丹田《たんでん》というチャクラがあります。この丹田が、肉体とアストラル体をつなぐ最も大切な接点なのです。

ここを整えるには、腹式呼吸が有効です。

まず肩幅程度に足を広げて立ちます。次に、丹田に意識を集中し、鼻からゆっくり息を吸います。これ以上ゆっくりはできない、というぐらい、ゆっくり吸ってください。すると、汗が出てきます。それぐらい大変な作業です。

そのとき、吸った空気が頭から手、足、体、すべてに行きわたるようにイメージしてください。

これ以上吸えないところまで吸ったら、今度は口から糸を吐くように、ゆっくり息を吐きましょう。ゆっくり吐くのもまた大変なことで、体調がよくないときなどはできません。すぐにハーッと吐ききってしまいます。

そのとき、体の中の汚いエネルギーが全部、口から糸になって出てくるようなイメージを描いてください。クモが糸を吐くような感じです。

そしてこれ以上吐けないところまで全部吐いたら、いったんリラックスしましょう。

これを3回くり返します。10分ぐらいかかるはずです。

これだけで、かなり体調がよくなります。低血圧、胃腸虚弱、便秘、さまざまな体の不調に効果があります。

この腹式呼吸をするのは、朝一番がベストタイムです。特に「気」が静まっている早朝がいいでしょう。できれば、外気にふれるところ、ベランダや庭に出てやってください。室内で行なう場合は、窓をあけるといいでしょう。

入浴法

サウナやお風呂に入ると体があたたまり、毛穴が開きます。これが大切なのです。

人間には、エクトプラズムという生体エネルギーがあります。よく心霊現象の写真などで、口から白い塊を出している様子が映っていますが、あれがエクトプラズムです。人間の体からはああいう目に見えるかたちで物質化していないエクトプラズムが常に出ています。

図書館などに行くと、勉強している人の頭からモクモクと白い湯気のようなものが出ているのが、私にはよく見えました。集中して勉強することによって体内のエネルギーを消耗し、エクトプラズムが出ているのです。

こういうエクトプラズムは、きれいなエネルギーです。悪いものではありません。

体内にたまった汚い垢《あか》のようなエネルギーは、黒い煙になって出てきます。

電車の中で、周囲の人を見ていると、この黒いエネルギーを出している人がよくいます。おそらく会社で嫌なことがあったのでしょうが、しかめ面《つら》をして吊り革を握っている人、ブツクサと独り言で文句を言っている人、そういう人は、タコがスミを吐いているように、モクモクと黒い煙を出しています。

これは、疲れや憎しみといったネガティブなエネルギーです。毒素のようなものだと考えてください。

エクトプラズムは、体中の穴という穴から出てくるものです。毛穴からも出るし、耳からも鼻からも口からも出ます。

たとえていうなら、肌の老廃物を洗顔によって洗い流すように、スピリチュアルな老廃物も、洗い流すことが必要なのです。

そのためには、毛穴を開かせる入浴やサウナが効果的です。カラスの行水では、毛穴が開くまでにいたりません。たっぷり時間をかけて毛穴を開かせ、老廃物を洗い流すことが大切なのです。

一度、湯船につかってあたたまり、外に出て体を洗い、もう一度、湯船につかる。これを最低2回はくり返して、体中の毛穴を開くようにしてください。

こうすると、体内の黒いエクトプラズムを体外に排泄することができるのです。

黒いエクトプラズムがたまりすぎると、肉体とアストラル体にズレが生じて、不安定な状態になります。

この入浴法で、それをつなぎ直すことができるし、体内がきれいになってストレスを解消できます。汚いネガティブなものを体外に出すので、ポジティブになれるのです。

水晶法

水晶には邪悪なものを祓《はら》うクリーニング作用があります。

体調がすぐれないとき、枕の中に水晶を入れて眠ったり、肩や腰など、痛みのあるところ、具合の悪いところを、水晶でさすったりしてみましょう。

水晶のブレスレットやペンダントなど、水晶を身につけるだけでも効果があります。

特に、霊的に過敏な人、周囲の人の影響を受けやすい体質の人、たとえば、人ごみに行ったり、ネガティブな人に会うだけで、体調を崩すというような人にはおすすめです。

水晶は、体のまわりにバリアをつくって、人々の波動から守ってくれる働きもするからです。

以上の三つ、呼吸法、入浴法、水晶法を覚えていれば、少々の体調不良ならすぐに改善することができます。ぜひ試してみてください。

ネラ式メディテーション・からだ編

2章で紹介したネラ式メディテーションは、自分の体の状態を知るときにも応用できます。

「体のことでメディテーションをする」と決めて、「公園にあるモニュメント」、「もらうもの」、「水辺」、「渡る方法」を考えるのです。すると、心の状態を見るときに出てきたイメージとは違うものが見えてきます。自分自身が求めているもの、自分の体に内在するものが出てくるのです。

たとえば、モニュメントは、「ギリシャ神話に出てくる筋骨隆々とした像」であったり、もらうものは「筋力」などが出てきたりします。こういう場合は、体を必要以上に鍛えようとしているのかもしれません。でしたら、少し休息のイメージを追加するように修正していけばいいのです。

外見的な魅力をアップさせたいとき

自分の容姿は宿命ですから、これは受け入れないといけません。別の人に変わろうとしても無理です。

容姿がそっくりな双子の場合を考えてみましょう。どんなに顔の造作が同じでも、雰囲気は違う、ということがよくあります。人間の容姿には、内面が反映されるからです。内面から現われ出てくるものが違うと、造作が同じでも、冷たい感じになったり、穏やかな感じになったりするのです。

ですから、容姿にこだわるよりも、内面のスピリチュアリティを高めることのほうが大切です。明るく、ほがらかな心を持っていれば、それは必ず容姿に現われます。容姿は磨けば光るものです。どんな容姿であっても必ず光ります。ですから、自分の容姿が嫌いだという人は磨く努力をすればいいのです。

今はエステもあるし、ヘアメイクや美容法もさまざまなものがあります。そういうものにトライしてみることです。きれいになりたいのならなればいい。どんどん、いろいろな美容法に挑戦してみましょう。

さまざまな美容法に背を向けて、「そんなのやったって、しょせん無駄よ」となじる人がいますが、素直になって、とにかくやってみましょう。絶対に、きれいになれます。その人なりの美しさというのが、人間には必ず備わっているのです。

きれいになることに罪悪感を感じてはいけません。きれいになると、ポジティブになれます。きれいになるのは、いいことなのです。

一番いけないのは、怠惰です。怠けていると、人間はネガティブになります。

自分の持っている宿命は受け入れて、その上で自分なりの「きれい」を追求すればいいのです。

ただし、美容整形はまた少し話が違います。

基本的に、私は美容整形には反対です。けれど、全否定もしません。する人がいてもいいと思います。

先にも書いたように、人間には肉体と、その上に重なっているアストラル体があり、その両方が合わさってその人をかたちづくります。それがスピリチュアル・ボディです。

肉体をどのように切り刻んだとしても、スピリチュアル・ボディは変わりません。たとえば、事故で手足を切断したような場合、ないはずの足にかゆみを感じたりすることがあります。スピリチュアル・ボディが残っているからです。

これは植物も同じです。木の葉っぱを切りとってから、オーラ写真をとると、もとの葉っぱがそのまま映ります。木にもスピリチュアル・ボディがあるのです。

たとえ整形手術をして顔や体のどこかを変えたとしても、スピリチュアル・ボディ自体は変わりません。

肉体が死んだとき残るのは整形した顔ではなく、自分本来の顔です。忘れていた自分本来の姿を見たとき、魂がパニックになる可能性があります。それは、心にとめておいたほうがいいでしょう。

生きている間だけの方便で、別の顔かたちをつくりたいなら、それはかまいません。けれど、本来の顔かたちはあなたの宿命です。変えられるものではありません。

これは脅しではなく、死後の世界まで考えるなら整形は意味がないということです。

スピリチュアリズムでは、整形手術をしなくても人はきれいになれると考えます。

けれど、どうしても手術をしなければ自分のコンプレックスから抜け出せないというなら、先に書いたことを頭に置いて、覚悟を決めてやればいいのです。

ただ、手術を受けても満足できずに、何度も手術をくり返すようになると、これは問題です。

たとえば目を二重にする手術でも、20回以上する人が実際にいます。

こういう場合は、外見のケアではなく、心のケアが必要です。「自分はきれいじゃない」と思いこんでいる、その心をケアする必要があります。

美容整形では、心までは手術できません。

まず自分の宿命を受け入れて、その上できれいになる努力をする。それでも、もっとポジティブになるために美容整形が必要だと思えば、その意味を理解した上で、手術を受けましょう。そうすれば、きっとよい手術ができると思います。

食欲がありすぎるとき／なさすぎるとき

「今日は食欲がない」「何だかとてもおなかがすく」といったことは誰にでもあることで、まったく問題はありません。

ところが、あまりにも食べ物を受けつけない、まわりが驚くほどの量を食べてしまう、というのは問題があります。

肉体とアストラル体の不調和が生じると、食欲も調整がききにくくなります。

食欲がありすぎるときは、肉体とアストラル体のバランスが崩れて、深い呼吸ができなくなっています。

別の言い方をすると、「気」が上がってしまっています。

たとえば、仕事が忙しすぎてあせっていたり、悩み事があったりしてプレッシャーがかかっているときは、心のリズムが速くなります。一種の興奮状態になっているのです。

そういうときは、「吸収しなくては」という意識が強くなって、せわしない気持ちになります。すると、何でもガツガツと早食いしてしまうようになって、食べすぎてしまうのです。

反対に食欲がなさすぎるときは、「気」が落ちすぎています。

たとえば、仕事で疲れすぎていたり、明日のことを考えて憂鬱になったりすると、ため息ばかりついてエネルギーが落ちてきます。すると、「食べたい」という気持ちも薄れてしまいます。

　心が落ち着いていれば、適度な食欲が取り戻せるはずです。

　こういう場合も、先ほど紹介した三つの方法（呼吸法、入浴法、水晶法）が効果的ですが、とりわけ大切なのは呼吸法です。

「気」が上がりすぎていて食べすぎる人は、食事の前にスローなテンポのクラシック音楽を聴くとよいでしょう。今はやりのヒーリング・ミュージックでもかまいません。その音楽に合わせて、ゆったり呼吸をしてください。

「気」が下がりすぎている人は、逆にアップビートな音楽を聴きましょう。それに合わせて呼吸をして、「気」を高めてください。

　パチンコ屋では、「軍艦マーチ」などの速いテンポの曲がかかっていますね。もしスローな曲、たとえば「白鳥の湖」などがかかっていれば、みんなのんびりしてしまって、玉を打とうという気もなくなるでしょう。

　音楽やリズムが体に与える影響は、それぐらい大きいのです。上手に使って、食欲をコントロールしてください。

眠れないとき／寝ても疲れがとれないとき／眠くて仕方がないとき

眠れないのも、「気」が上がっているからです。エネルギーが沈静化せず、落ち着かない。だから眠れないのです。そんなときは、仰向けになって丹田の上に手を当ててみましょう。そして腹式呼吸で呼吸を整えます。すると自律神経が安定して、よく眠れるようになります。

また、霊的パワーの強まる北枕で眠ったり、おなかの上に水晶を置いて眠るのも効果的です。それでも不眠が続くときは、磁場の狂った家に住んでいる可能性もあります。部屋の中に置いた方位磁石の針が安定しない場合は、思いきって転居を考えてみてもいいでしょう。

眠ってはいるけれど、目覚めたときに疲れがとれていないのであれば、きちんと眠れていない、ということです。肉体とアストラル体のバランスがとれないまま眠っても、なかなか疲れはとれません。そういう場合は、呼吸法、入浴法、水晶法をくり返すといいでしょう。

また、寝ても寝ても眠いという場合は、無理して起きている必要はありません。仕事にさしつかえがない限り、何時間でも眠ってください。そういう症状は人生の大きな節目に出やすいものです。

人は、眠っている間、スピリチュアルな世界に里帰りをしているのです。そして、そのときに新たな人生の計画を植えつけられています。ただ自覚がないだけです。

こういう睡眠は、いわば「作戦タイム」です。その時期を過ぎると、いきなり仕事の内容が変わったり、大きな仕事に出会えたりします。いくら寝ても眠いのは、そういう変化の前触れなのです。

ですから、眠いときはたっぷり眠ってください。人生の大変化に備えて知恵を身につける時期で、とても大切なときなのですから。

私も周期的に、いくら寝ても寝たりないというときが訪れます。普段は五時間ほど睡眠をとれば十分なのですが、その時期が来ると、仕事以外はすべて眠っているような暮らしになります。その時期が過ぎると、仕事の流れが変わっています。そういうことを何度も経験しました。ですから、眠くて仕方がないときは、「なんて怠け者なんだろう」などと思わず、ぐっすり眠ってください。

体をリフレッシュさせたいとき

リフレッシュに一番効果があるのは、観葉植物です。部屋の中に置いて、植物のエネルギーをもらいましょう。これは生きもののパワーをわけてもらうということです。その意味では、ペットを飼うのでもかまいません。何となく疲れがとれないときにも、これは効果的です。また、ピラミッドパワーも、おおいに使わせてもらいましょう。ピラミッドのかたちには、不思議な力があります。騙されたと思って、寝室の四隅に、ピラミッド型のものを置いて眠ってみてください。厚紙などで、自分でつくったものでもOKです。ピラミッドの面を東西南北に向けることがポイントです。翌朝、目覚めるときには、すっきりリフレッシュできているはずです。

何となく気分が落ちこむとき／急にあせりの気持ちがわいてきたとき

あなたは、10年後の自分を思い浮かべることができますか？

10年後の自分を具体的な映像として思い浮かべることができない人は、なりたい自分には絶対に到達できません。

バスや電車に乗るときのことを考えてください。行き先がわからないまま乗る人はいないでしょう。もし行き先も決めずに乗ったら、道に迷ったり、思いもかけないところに行ってしまいます。

人生も同じで、自分はどこへ行きたいのかを、はっきりと映像化することが大切なのです。10年後の目標地点を、できるだけ具体的に思い描きましょう。そうしなければ、そこにはたどり着けません。

もちろん、1年後には周囲の状況が変わっていることもあるでしょう。小さな変化は常にあります。けれど、どんなに周囲が変わろうと、「10年先には、自分はこうなっていたい」という願望を持つ。それを具体的に映像にすることによって、念力が強まります。視覚化することが大切です。イメージがリアルであればあるほど、念力は強くなります。

人生に必要なのは、念力とタイミングです。

私自身、常に10年先の自分をイメージしてきました。今、10年前にイメージした通りになっています。叶わなかったことはありません。

みなさんも、常に10年後、自分が「こうありたい」という理想をすべてイメージしてください。

目先のことばかり考えていると、常に一喜一憂することになります。10年後のビジョンを持って生きていると、そんなに気分が落ちこむことはなくなります。

目的があってバスに乗ろうとするとき、足が重くなることはないでしょう?

それは、「〇〇へ行く」と決めていて、そのことで頭がいっぱいだからです。夢とビジョンがあれば、落ちこんでいる暇などありません。落ちこむのは、ビジョン、信念、計画性がないからです。

ただし、絶対に実現不可能なことを夢見てはいけません。たとえば、外国のお城に住みたいと願っても、99%は無理です。そういうことを夢見ると、自分でも無意識に「それは無理だな」と思ってしまうので、念力が弱まるのです。

たとえば、都心で、ちょっと背伸びして6000万円ぐらいのマンションで、子どもが二人ぐらいいて、と想定していくと、「達成できない夢じゃない」と自分でも思えるようになっていきます。

くり返しますが、人生は念力とタイミングです。これを覚えておきましょう。

ただし、「このままではいけないんじゃないか」と思って、あせる必要はありません。スピリチュアル・ワールドからのメッセージを受けとると、人はあせってすぐに行動を起こしたくなるのです。

けれど、本当にガイド・スピリットがあせらせているのかというと、そうではありません。「そろそろ、変わり目ですよ」と知らせているだけです。それなのに、人間は「今すぐに変わらないといけない」と、あせる癖があるのです。

スピリチュアル・ワールドからのメッセージは、「これから変わりますよ」ということであって、「今すぐ変わりなさい」ではありません。

どうしてもあせってしまうときは、まず計画をたてましょう。

10年先のビジョンを思い浮かべてください。

それを実現するために今年は何をすればいいか、来年は何をすればいいか、順を追って考えていけばいいのです。

ガイド・スピリットは、私たちの10年先を見ています。それを感じとれれば、あせる必要はないということがわかってきます。

ポジティブな自分になりたいとき

ポジティブに明るく生きるためには、心身の垢をとっておかなければなりません。くり返しになりますが、そのためには呼吸法、入浴法、水晶法を忘れずに。

「ポジティブになりたいのになれない」という場合は、何か理由があるはずです。たとえば、自分に自信がない。だから、明るくなれない。それなら自分を磨きましょう。体にコンプレックスがあるなら、エステを利用してもいいし、メイクアップの勉強をしてもいい。仕事で行き詰まっているなら、スキルアップのために何かを学びにいくなど方法を考えましょう。

そのための自分への投資を惜しんではいけません。そのつど原因を探って、前向きに挑むことが必要なのです。決して立ち止まってはいけません。人は、行動をすることで、絶対に明るくなります。立ち止まったまま、行動を起こせない人は、気が弱いというより、頑固なのです。

「きれいになりたいなら、磨けばいい？　でも、そんなの無理よ。だってお金がないもの」と言い訳ばかりして、行動を起こさなければ、いつまでたってもポジティブにはなれません。「でも」「だって」は禁句です。

「そうか、磨けばいいんだ！　じゃあ、やろう！」と思って、すぐに何かを始める人。こういう人は、すぐにきれいになります。明るく、幸せになれるのです。

素直になって、自分がいいと思うこと、人が「いいよ」とすすめていたことを、どんどん体験してみましょう。そういう素直さを持っている人が、幸せになれるのです。

もっとやせてきれいになりたいとき

もっとやせたいというときに、効果抜群のスピリチュアル・ダイエット法を紹介しましょう。

太る人は、だいたい憑依《ひょうい》体質の人です。別の言い方をすると、過敏なタイプ。普通の人よりもアンテナが鋭いので、周囲のささいなことでも敏感にキャッチしてしまうタイプの人です。必要以上に気を遣ったり、気のきく人に、多く見られます。

この体質の人は、何かで落ちこんでいる人のそばに行くと、自分もその悲しみに影響されて一緒に落ちこんでしまったり、元気な人のそばにいると、自分まで元気になったりします。とてもまわりに影響されやすいのです。

人の悲しい想念を敏感に感じとってしまうから、クヨクヨしやすい人でもあります。クヨクヨすると「気」が上がって、「ものを吸収しよう」という欲求が強くなります。すると、どうしても食に走ります。だから太るのです。

こういう人は、たとえばお昼どきに街を歩いていると、みんなが「おなかすいた、何か食べよう」と思っている、その想念を敏感にキャッチします。ですから、そんなにおなかがすいてなくても、空腹感を感じて、必要以上にごはんを食べてしまいます。

つまり、太る人というのは、人の想念を感じやすい人、影響を受けやすい人なのです。

あなたの周囲にいる、ちょっとぽっちゃりタイプの友人を思い出してください。明るくてにぎやかなことが好きで、よく人を笑わせたりするけれど、内面的には小さなことを気にして、クヨクヨと悩んでしまう人が多くありませんか。

そういう人は、憑依体質だと考えてください。

実は、私もこの体質です。

今、私は作家の林真理子さんに紹介していただいた先生の指導を受けて、ダイエットを実践しています。一番つらかったのは、子どもの運動会でした。

みんなが「お昼、食べようね！」という気持ちで、ワーッと盛り上がっている。すると、いくら日常生活ではダイエットできていても、その気分に影響されて、ついたくさん食べてしまうのです。

では実際に、このタイプの人はどうすればダイエットできるのでしょうか。

まず、炭水化物（糖質）を、しばらくやめることです。アルコールも糖質なので、避けてください。「炭水化物を食べたい」という想念は、ほかの食物を食べたいという想念よりずっと強いのです。太っている人は、炭水化物が大好きです。まずこれをしばらく断ちましょう。

その上で、バランスよく栄養をとることです。ここが大切です。炭水化物以外のものをきちんととる。肉、魚、野菜などをきっちり食べていれば、おなかがすくことはありません。間食もしなくてすむはずです。

これがスピリチュアル・ダイエットの基本です。この理論から考えて最も適切な方法と思われるのが、今、私が教えていただいている和田式ダイエットです。

和田式ダイエットでは、まず炭水化物（糖質）を食べるのをやめます。そして一日二食、「和田式9品目」を必ず食べるのです。

9品目の内訳は、肉、魚、野菜、卵、海草、貝、油、豆、乳製品です。

このすべてをとると、栄養のバランスがとれます。全体の分量の半分が野菜になるようにしてください。こういう食べ方をすると、とても腹持ちがいいのです。バランスよく食べていると、絶対におなかはすきません。

私も炭水化物が大好きです。世の中で一番好きなのがお寿司、二番目がパスタ、三番目がごはんとみそ汁。ですから、最初に「私には、このダイエットは絶対に無理です」と、先生に言いました。けれど先生は「なにも一生食べてはいけない、と言っているのではないのです」と言われました。自分の理想の体重になるまで我慢する、ということです。すると必ず、おもしろいほど体重が落ちます。

世の中に多いダイエット法は、栄養とカロリーを混同している場合が多いのです。カロリーだけを減らしても、体重は落ちません。おなかがすいて、結局は食べてしまうからです。栄養のないものをいくら食べても、おなかはすきます。栄養をバランスよくとって、その上でカロリーを抑える方法を考えなければいけません。

多くの人は、カロリーはとるけれど、栄養のバランスはとれていない、という食生活になっています。

たとえば、お昼に牛丼を食べたとします。栄養素としては、炭水化物と肉、たまねぎとグリーンピースなどの野菜が少し。みそ汁がついていれば、大豆とワカメぐらいはとれますが、先ほどの和田式9品目中、魚、卵、貝、乳製品の4品目が不足しています。だから、体が「もっと栄養が欲しいよ」と感じて、すぐにおなかがすくのです。

今、私は和田式ダイエットで、カロリー計算をせずに、9品目だけを考えてとっています。おそらく一食1000キロカロリーはあるでしょう。それでも、一週間で最低でも1キロ、最高で3キロ落ちるのです。カロリーダイエットがいかに間違っていたかということを、私は身をもって知りました。

やせてもっときれいになりたいという人や、健康のためにやせたいという人は、スピリチュアル・ダイエットと、それをさらに発展、完成させた和田式ダイエットをぜひ試してみてください。

夜よく眠れないとき

夜、ふと目が覚めてしまったとき、体が動かないような感覚におそわれることがあります。いわゆる金縛りですが、それには二通りあります。

一つは体が疲れて眠っているのに、脳だけが起きているときに起こる金縛り。もう一つはスピリチュアルな金縛りです。これは、本当に霊魂が引き起こす場合と、磁場の強い場所で起こる場合があります。

いずれにしても、それを恐れないことが大切です。

スピリチュアルな金縛りの場合、必ず耳なりのようなザワザワという音がしてきます。自分の周囲で空気がワーッと渦巻くような感じです。そのあとで、金縛りになることが多いのです。

これを避けるためには、まず耳なりがしたときに深呼吸をして、息を思いきり吐くことです。そうすれば、金縛りになることは避けられます。

それでも金縛りになってしまった場合、あわてないことです。必ずどこかに隙があります。動ける瞬間が出てくるのです。その隙を逃さず、指先だけでもいいから、体を動かしてください。すると、金縛りがスーッととけていきます。

ネガティブな心でいると、スピリチュアルな金縛りにあうことが多いので、やはり日常的にポジティブな、明るい心でいることも大事です。

病気も一つの学びの場
——あなたへの大切なメッセージを上手に受けとめましょう

病気には、いくつか種類があります。

第一は、心の病気。ストレスやプレッシャーによって引き起こされる病気です。

第二に、肉体の病気。過労などによって起こる体の不調です。

第三に、ガイド・スピリットが、休息をとらせるために、あるいはタイミングをはかるために、わざと起こす病気。

たとえば、飛行機に乗る前に、なぜか具合が悪くなって一便遅らせたら、最初に乗る予定だった飛行機が事故に遭った。あるいは、大病をして退職したけれど、すぐに治って再就職をしたら、自分の才能がすごく生かせるようになった。または、忙しくてなかなか体を休ませることができなかったけれど、病気になって結果的に休息をとることができた。そういう病気です。つまり、危険を回避したり、人生の転機をもたらす病気です。こういう病気は、すぐに治ります。

第四に、宿命的な病気。これは、死につながる病気です。死ぬことは宿命。それは、自分の魂にとって、どうしても必要な学びです。

第五に、カルマ（因果律）によって生じる病気。自分自身がまいた種によって引き起こされる病気です。たとえば、悪口ばかりを口にしていると、その思いが汚い垢となって、自分自身を苦しめることがあります。また、人をけなしたり、意地悪をすることで人から恨まれ、そのエネルギーが災いをもたらす場合もあります。

体は鏡のようなもので、自分が人にしていること、自分のしていることを正直に映し出すのです。

自分のあり方が原因で起きる症状には、次のようなものがあげられます。

・注意深くものを見ない人は、目が悪くなることがあります。
・人の言うことをきかない頑固者は、耳が悪くなることがあります。
・やきもち焼きは、ゼンソクになることがあります。なぜなら、嫉妬深い人は、人を束縛しようとしがちです。そのため、相手の息が詰まるようなことをする。すると、自分の息が詰まる場合があるのです。
・まじめすぎる人は、リウマチになることがあります。たとえ車が一台も通っていなくても、赤信号なら絶対に横断歩道を渡らないような人。人が渡るのも許せないような、柔軟性のない人。そういう人は、関節が固まる場合があります。

そんなふうに、体が心を表現するときがあるのです。

一言で病気といっても、その原因にはこれだけの種類があります。ですから、すべての病気をネガティブにとらえるのは間違いです。病気によって教えられることは必ずあります。

病気によって人生が変わったり、結果的にラッキーだったということはたくさんあります。

ですから、病気＝よくないこと、という考え方そのものを変えてください。

病気によって、私たちは救ってもらったり、目覚めさせてもらったり、学ばせてもらったりしているのです。これは悪いことではありません。

自分が病気にかかったとき、あるいは、周囲の親しい人が病気にかかったとき、それはどういう種類の病気なのか、何を教えてくれるものなのかを、じっくりと考えてみてください。きっと気づきがあるはずです。

Chapter 4

お金との上手なつきあい方、知っていますか？

お金は大切なものです。ただし、お金だけが大切というのは間違っています。お金を「目的」にしてはいけません。目的にしてしまうと、お金は「汚いもの」になってしまいます。目的にしない限り、お金はとてもいいもの、役に立つものです。

お金と上手につきあいましょう。

お金がまったくないというのはこの上ない不幸です。しかし、お金を持ちすぎるのも同じくらい不幸なことです。

この章では、あなたが自分のやりたいことを、やりたいときに、やれるだけのお金が入ってくる考え方をお伝えしましょう。

お金は出ていくものです　出ていくから、またまためぐってくるのです

お祝い事が続いたりして、出費がかさむことがあります。そういうときは、どんどん出したほうがいいのです。お金は流すもの。流してこそ、めぐるものです。

お金を惜しんで義理を欠くほうが、よくありません。

不思議なもので、人へのお祝いなど、大切なことでケチっていると、ほかのことで無駄な出費を余儀なくさせられます。

たとえば、友人が結婚するとき、「みんなでお金を出しあって、プレゼントを買いましょう」ということになっても、自分だけは絶対にお金を出さない。そんな人は、家族が事故に遭うなどして、入院費を払うことになったりします。そんなふうに、因果はめぐって、必ず出費するはめになるのです。

つきあいで本当に必要なお金は、「出費が続いて痛いな」と思うかもしれませんが、気持ちよく出しましょう。そうしていると、ほかのときに意外な収入があったり、人

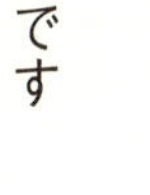

がごちそうしてくれたりして、得する場合がめぐってくるのです。

出費も収入も、神様にゆだねてしまうことです。

出費が続くときは、やがてお金が入ってくる、ということです。お金が出ていかない人のところには、お金は入ってきません。

では、どんどん使っていいのかというと、それは違います。

高価なブランド品を買ったり贅沢をするために使うお金は、出たら出たっきりで返ってきません。

自分のために浪費したお金は戻ってこない。人のために使ったお金は戻ってくる。

これがお金の法則です。

賢いお金の使い方――多く入りすぎたらほどほどに手放すこと

お金には、汚いエネルギーがたくさん入っています。人の念や、欲がこもっているからです。収入がたくさんあるということは、悪いエネルギーもたくさんもらっているということなのです。

だから、たくさんあるときは、ほどほどに出したほうがいいのです。

バブル全盛の頃は、成り金がたくさんいましたが、すぐにスッカラカンになってしまいました。お金の垢が積もりすぎたからです。急激に負荷がかかったから、失うのも早かったのです。急に金持ちになって幸せになった人は、ほとんどいないと言っていいでしょう。

ただし、「汚いお金を浄化させる」という触れこみで、宗教が勧誘してくる場合もありますから、それには注意してください。そういう宗教で、お金を浄化できたためしがありません。逆にますます念がこもって、汚くなるのがオチです。

お金にはエネルギーがあるということをわきまえて、ほどほどに流していくことを心がけましょう。お酒と同じです。飲んでも飲まれるな、という節度が大切なのです。

収入が増えたとき、それは素直に喜んでかまいません。努力の結果、お金の循環がよくなってきたのです。ただ、その分、人のために使ったり、寄付したりすることで、負荷を軽くしましょう。

それが賢い人のお金の使い方です。

企業が慈善事業や文化事業にお金を寄付するのは、お金の負荷を軽減させるためでもあるのです。

儲かったら、必ず人のために使うことを考えて、バランスをとりましょう。

買い物はとても楽しいものです
でも、こんな買い方には要注意です

ときどき、何だかわからないけれど無性に買い物をしたくなるという人がいます。エスカレートすると、カードで借金をして、必要もない物を買ったりするようになります。そうなると問題は深刻です。

くり返し衝動買いをする原因には、愛の欠如があります。心に愛とゆとりがない場合、人間はものを買いこむ傾向があります。愛に満たされていれば、「何にもいらない」という気持ちになるものです。

どうしても衝動買いがやめられないというときは、愛が足りているかどうか、自分の心の状態をよく振り返ってみてください。

日頃の友人関係、家族関係をもう一度見つめ直して、なぜ愛の電池切れになっているのか、原因を探りましょう。そして、人ともっとふれあって、愛を充電してください。愚痴をこぼせる友人を見つけたり、楽しい恋愛をするなどして、人の中で心を癒していくことが必要です。

人の中に入るとますます傷つくから、人と深い関係を築かないという人がいますが、それは逆効果です。傷つくのは、自分にも原因があるからです。そういう相手を選んでしまった自分、相手にそうさせてしまった自分を少し反省して、また新しい人と出会えばいいのです。

一度や二度、失敗したり傷ついたりしても、それでめげずに、本当にあなたが愛せる人、愛してくれる人を探しましょう。

心から求めていれば、必ず出会えます。

そうやって愛の電池をためる努力をしていれば、いつの間にか衝動買いはおさまっているでしょう。

「お金が入ってくる自分」をイメージしましょう　それはきっと現実になります

金運を強くしたいなら、まず、お金に対する罪悪感をなくすことです。

無意識のうちに「お金をたくさん稼いだり、たくさん持っているのはよくないこと」と思っている人が、意外と多いのです。両親などから、「お金のことばかり考えるのはよくないこと」という考え方を植えつけられたからでしょう。

一般的にも、「清貧」という言葉が示すように、「貧しいことは清らかなこと、お金を持つことは卑しいこと」という考え方が、日本には根強くあります。

金運を強くしたいと思うなら、まずその考え方を改めましょう。お金への罪悪感を捨てることです。

お金自体は決して悪いものではありません。

次に、お金に対して、感謝の気持ちを持つことも大切です。思わぬ収入があったり、人にごちそうしてもらったときなどは、必ず「ありがとう」という感謝の気持ちを持つよう、心がけましょう。心の中で神様にお礼をするつもりで報告するようにしてください。

三番目に、常に「お金が入ってくる」というビジョンを持つことです。たとえば、自分の通帳の残高がどんどん増えていくイメージを持つ。お札を壁に貼って、毎日眺めるのもいいでしょう。

要するに、「お金を手にしている自分」のイメージを強く思い浮かべる習慣をつけることです。金銭的に恵まれ、幸せを感じている自分を強くイメージすること。

そのとき、疑念やずるさが少しでもあれば、サポートは得られません。あくまでも純粋に、ポジティブに、イメージを強めることが大切です。

すると、お金を呼ぶエネルギーが強くなります。

と同時に、現実的には、無駄遣いが減ります。収入がアップするといっても限界がありますから、無駄遣いを減らすのも大切なことです。また、仕事に対する意欲も強くなります。すると、その分、お金は増えていくはずです。

金運を強くするには、こういったイメージトレーニングを第一に考えてください。

そして、たくさんのお金が入ってきたときは、必ずその何割かは、人のために役立てることです。

たとえば、開発途上国の子どもたちを援助する財団や、交通遺児のための基金に寄付したりするのもいいでしょう。自分が儲けた分の一〜二割以上を、人のために使ってください。

そういうこともイメージの中に入れていくと、罪悪感もなくなるでしょう。人のために役立てることで、プラスとマイナスのバランスもとれます。すると、必ずお金が循環していくようになるのです。

Chapter 5

仕事はあなた自身を表現する舞台です

世の中には、数多くの職業があります。あなたがどんな職業に就《つ》いていたとしても、そこには必ず学びがあります。もっとやりたいことはあったのに、今の職場にしか入れなかったという人もいるかもしれませんが、スピリチュアルな立場から見れば、それもあなた自身が選んだということになります。

どんな仕事に就いていようと基本は同じです。あなた自身のスピリットを成長させることが大切なのです。今までつまらないと思っていた仕事も、そういう目で見ていけば、楽しくやりがいのあるものに変わるはずです。

この章では、日常のことから転職や天職についての悩みなど、仕事にまつわるあらゆることにスピリチュアルの光を当て、あなた自身が向上していく方法を説明していきましょう。

ガイド・スピリットからの贈り物――どんなときでも、どんな人にもこんな〝ひらめき〟が必ずあります

　アイデアを必要とする仕事に就いている人は、まず人との会話を大切にしましょう。迷ったり悩んだりしたとき「どうか、いいアイデアをください」とガイド・スピリットに祈ったとします。すると、人の口を借りてガイド・スピリットが教えてくれることがあるのです。

　祈りやメディテーションを大事にすると、どんな人でも必ずガイド・スピリットと通じることができます。すると、普段なら見もしないものを見て、「これだ！」と思ったり、いつもなら話もしないような人と、たまたま話をする機会ができたりします。その中で、ハッと思うアイデアにめぐりあうことがあるのです。そういうきっかけを、ガイド・スピリットが与えてくれるのです。

　私も自分の人生の進路にとても悩んだ時期がありました。國學院大学へ進学し、神《かん》主《ぬし》になる勉強をしていたのですが、本当にそれでいいのか迷っていたのです。悩みな

がらレポートを書いていたときでした。書きながら何気なくテレビをつけたのです。するとそのとき、たまたま聖フランチェスコの映画『ブラザー・サン シスター・ムーン』を放映していたのです。それを見て、雷に打たれたように「この人のような生き方を大切にしないといけない」と思いました。人生観がまるで変わったのです。

あれは、ブラウン管を通して伝わってきた神の啓示だったと思っています。そういうことは日常の中にもあります。常に自分がガイド・スピリットとつながっていると意識してください。自分の行き詰まりを、祈りやメディテーションによって、ガイド・スピリットに伝えるのです。すると、それが人との会話の中で答えとして出てきたり、アイデアが自然にわきおこるように生まれたりします。

人には、無限の力があります。人は背中にスーパーコンピュータを背負っているようなものです。その力を発揮するためには、自分の背後にある大いなる叡知とつながること。祈りやメディテーションによって、スーパーコンピュータに「プラグを差しこむ」ことが必要なのです。また、十分な睡眠をとることも大切です。眠っている間に知恵を授けてもらっているのです。煮詰まったときこそ、ぐっすり眠りましょう。そうすれば、アイデアが枯渇することは決してありません。

いつも頑張る必要はありません　ときには休むことも必要です

やる気をなくしたときは、休むのが一番です。無理して仕事をすれば、いい結果が出るというものではありません。やる気が出ないときというのは、「今はその時期ではないよ」と足止めをかけられているのです。

今はガンガン仕事をする時期ではなく、知識を養うべきときであり、休養が必要な時期だということなのです。そういうときは無理して仕事をせずに、時期を待つほうがいいでしょう。

眠いときは眠るのが一番。無理して起きていても、仕事の効率は上がりません。

そのとき、3章でご紹介した、丹田を中心とした呼吸法、毛穴を開く入浴法、水晶を使った疲労回復法などを実行してください。

そうして待っているうちに、必ずやるべき時期が来ます。前向きに「やる気を出したい」と思っていれば、必ずその時期は来ます。

なかなかやる気が出ないと、「これは、自分がやるべき仕事ではないからかもしれない」という不安が出てきますが、時期を待つうちに、今の仕事が自分に合っているのかどうかも、はっきりしてきます。

ともかく、やる気が出ないときは休んで時期を待つこと。あわてることはありません。あわてたりあせったりするのは逆効果。できるだけ自分の心身を休めて、のんびりと時期を待ちましょう。

仕事に必要なのは、あなたの心と体の健康です
小さなミスも心と体からの大切なメッセージかもしれません

ちょっとした連絡を忘れたり、簡単な計算を間違えたり、いつもはしないようなミスがなぜか多いというときはありませんか？

そういうことが続くのも、疲労が一番の原因です。魂の状態が不安定なのです。

心身が疲れているときは、ケアレスミスなどが続くだけでなく、人に騙されやすくなったりもします。

こういうときも、まず必要なのはたっぷりの睡眠です。そして、オーラ・メディテーションをしてください。

オーラ・メディテーションとは、自分のオーラを強化することで、バリアをつくって、危険から身を守る方法です。

まず、普通に椅子に座って、気持ちを落ち着けてください。

次に、息を鼻から吸って口から吐きましょう。

できるだけ、ゆっくりと吐いてください。そのとき、自分の周囲に、卵の殻のようにオーラがしっかり固まるイメージを持ってください。

1回目は、自分の前後に、2回目は、自分の左右に、3回目は、全体が強化されて、自分を守ってくれるイメージを持つ。

すると、オーラがとてもしっかりしてきます。

これは、医療現場やヒーリングの仕事に携わる人が、自分のためによく使う方法です。そういう仕事は、人の汚れたエネルギーに囲まれるので、自分が疲れてしまわないために予防が必要だからです。自分のオーラを強化して、守りのバリアをはってから、人の手当をするわけです。

このオーラ・メディテーションをしておけば、ケアレスミスも予防することができます。

ただ嫌うだけでは変われません
「苦手な人」は今のあなたにとって一番大切な人なのです

職場の人間関係、特に上司との関係は仕事を大きく左右することがあります。

自分にとって理想の上司なら最高ですが、ときには嫌いで仕方がない上司につくこともあるでしょう。そんなときは、先に述べたオーラ・メディテーションをしてください。

その上で、自分の魂を封印することです。そう決意して仕事をしてください。

相手のことを「嫌だな」と思う気持ちは必ず表に出てしまうものです。すると、ますますうまくいかなくなります。だから、その人の前では自分の本心を封印してしまうのです。「相手のいい波動の影響も悪い波動の影響も受けないぞ」と決意するのです。

そういう応急処置は必要です。けれど、それはあくまで応急処置です。

出会う人には、すべて意味があります。好きな人も嫌いな人も、意味なく出会う人は一人もいません。嫌いな人と出会ったとき、なぜその人が嫌いなのかを知る必要があります。

それが、あなたの学びとなり、成長となるのです。

不思議なことですが、自分が嫌いな相手から学ぶべきことがわかったとき、必ず自分か相手かが異動になります。逆に、嫌いつづけるだけで、その意味を知ろうとしないと、いつまでも一緒です。

すべての出会いは、必然なのです。不必要な縁はありません。

波長の法則によって、同じような人とひきあったり、自分に足りないものを持っているから呼びよせたりして、出会うのです。

たとえば「自分は傲慢だから、こういう人と出会ったのか」とか「自分がはっきりものを言えない人間だからなのか」などと、自分のマイナスの部分に注目してみることです。

嫌いな上司に目くじらを立てて悪口を言っているうちは、相手と同等ということです。乗り越えるためには、嫌いな上司も人間だと認めてあげること。嫌われるようなことしかできない気の毒な人だと、慈愛を持って見てあげましょう。

人は、肉体の年齢と魂の年齢、両方持っています。

魂自体が年齢を重ねている人、何度も再生をして、たくさん訓練を積んでいる人と、そうではない未熟な人がいるのです。

相手が、人間的に下品で下劣な場合、魂自体がまだ若いのだと考えましょう。子どもと同じです。子どもだからイタズラもひどいし、残酷なことを言ったりもします。

そんな人の前では、目を閉じて、赤ちゃんを思い浮かべましょう。赤ちゃんに目くじらをたてるなんて、大人気ないでしょう。

相手の肉体は、あなたより年をとっています。けれど、肉体は物質。物質だけを見てはいけません。相手の魂は、赤ちゃんなのです。嫌いな上司は、バブバブ言っている赤ちゃんか、悪態をついている悪ガキだと思っていればいい。

魂の視点で相手を見ると、すべて乗り越えることができるのです。

この四つの言葉を大切にすれば、すべてのことがうまくいきます

仕事をうまく進めていくのには仕事仲間との相性も大切です。自分のオーラと周囲のオーラが合っていれば、調和できます。気が合うなと感じて和気あいあいと仕事ができます。けれど、一人でもピリピリしたオーラを出している人がいると、うまく調和できなくなります。

だから、自分自身のオーラを周囲と調和させようという気持ちが大切なのです。

具体的にはどうすればいいかというと、まず必要なのは、笑顔です。

笑顔は、周囲に福をまきます。「笑う門には福来《きた》る」というのは、真実です。波長を高めるためには、笑うことが大切。いつでも笑っていてください。

次に、言霊を大切にすること。

言葉には魂が宿ります。エネルギーがあります。だから、あいさつが大切なのです。

「おはよう」「こんにちは」「さようなら」、そういうあいさつを、笑顔とともに投げか

けることで、人との関係が変わります。

特に大切なのは、「ありがとう」という感謝の言葉、「うれしい」という喜びの言葉、「大好き」という愛の言葉、「素敵ね」というほめ言葉です。そういうポジティブな言葉の力を借りましょう。

その点で、私がいつも感心するのは、作家の林真理子さんです。林さんは、仕事でもプライベートでも、出会った人を必ずほめます。たとえば、相手が着ている着物を見て、「まあ、高価そうなお着物」とか、お茶を贈られたときは、「まあ、立派なお茶ね」などと必ず言います。そう言われて、悪い気がする人はいません。

相手に何かほめるべき点がないか、必ず探して、それを口にする。それが林さんの気配りだと思います。ヘアスタイルを変えた人がいれば、「あら、今日のヘアスタイル、素敵ね」などと言ってみる。そういうところで、周囲に福をもたらしているのです。こういう習慣は、ぜひ見習いたいものです。

また、自分のガイド・スピリットだけでなく、仕事仲間のガイド・スピリットに対して、「どうか楽しく仕事ができますように」とお願いすることも必要です。祈るのは眠る前がいいでしょう。願いをこめて祈ると、必ずその祈りは通じます。

待たされてもそのときは悔やんではいけません あとで必ずその「意味」がわかるものです

どんなに頑張っても認められないときは、スピリチュアル・ワールドの意図があります。ガイド・スピリットが、わざとそうさせている、と考えてください。今はまだ認められないほうが、あとあとうまくいく。そういう場合が多いのです。

その意図は、今はわかりません。

「こんなに頑張ってるのに、なぜうまくいかないんだろう」「認めてもらえないんだろう」と悲しくなるでしょう。けれど、あとで「ああ、そうだったのか」とわかるときが必ず来ます。ですから、あせらずにときを待つことです。

私の体験で説明しましょう。私は昨年、音楽大学の声楽科に入学したのですが、受験するかどうかではとても悩みました。仕事を放って遊びほうけていることになりはしないだろうか、と思ったのです。

それで神棚に向かって精神統一して、「私が音楽大学で勉強させていただくことは

悪いことでしょうか」と聞きました。ガイド・スピリットの答えはこうです。

「できることはできる。ダメなものはダメ」

これでは、どうすればいいのか、よくわかりません。もう一度、聞いてみました。

「お前の人生、お前が考えなさい」

じゃあ、やっていいということだ、と勝手に解釈して、受験勉強を始めました。

ところが、試験直前に喉にポリープができて、手術が必要になりました。声楽科ですから受験は無理です。その年の受験は断念せざるをえませんでした。そのときばかりは、「ああ、私が無理してやろうとしたから、こういう病気になったんだ」と、声だけでなくハートも枯れるような思いがしました。

けれど、このままでは受験勉強でお世話になった先生に顔向けできません。やっぱりもう一度挑戦しようと思い、翌年に受験したのです。

すると、その年から大学の教授が変わったということがわかりました。新しい教授は、私が尊敬し、「習いたい」と思っていた、まさにその人だったのです。

前年に合格していれば、その先生には教えてもらえなかったでしょう。

一年遅れたことが、結果的にとてもよかったのです。ポリープさまさまです。ポリープができていなかったら、合格していなかったかもしれません。

こういうことは、人生にはたくさんあります。ある程度、生きていれば、誰でも経験していることです。ですから、たとえ待たされても、そのときは悔やんではいけません。「いいや、あとになって悔やもう」と思ってください。あとになれば、きっと悔やまずにすみます。なぜ待たされたのか、意味がわかるようになるはずです。

あなたの人生は、ガイド・スピリットに導かれているのです。そのことは、絶対的に信じてください。

今はたとえ不遇でも、「あのとき、待たされてよかった」と思えるときが必ず来ます。そのときのために、自分の夢、ビジョンだけは、はっきりと持っておきましょう。そして努力を続けてください。そうすれば、いつかきっとむくわれる日は来ます。

この世に偶然はありません
うまくいかないときには必ず「理由」があります

　仕事に障害が生じたとき、なぜそういう障害が生じるのか、そこにどんなガイド・スピリットの意図があるのかを考えてみてください。そして、ガイド・スピリットからのメッセージを受けとりましょう。

　障害が生じるときには、「今、その仕事をしては危険だよ」とか、「思わぬ落とし穴があるから、もう一回よくチェックをしなさい」というメッセージがある場合があります。今それをすると、大失敗をしてしまうことになる。そういう場合、思わぬ障害が現われることがあります。それは、ある意味で「恩寵《おんちょう》」なのです。

　くり返しますが、この世に偶然はありません。

　進めていいことなら、必ずトントン拍子に進みます。

　進めてはいけないときは、障害が生じて、うまく運びません。

　自分が努力してさえいるならば、天命に逆らわないことです。必ず、時期は来ます。

ガイド・スピリットが、うまくコーディネートしてくれるはずです。それを信じてください。その信頼感が薄いから、うまくいくものもいかなくなるのです。心の底から本当に信じて、ゆだねていればいいのです。ただし、自分で最大限の努力をした上でのことですが……。

ガイド・スピリットは太陽のようなものです。曇りの日には太陽は見えません。けれど、必ず雲の向こうに存在します。ガイド・スピリットも、心が曇っていると見えません。けれど、必ず存在し、あなたを導いてくれるのです。

私は、人生の中で何度も窮地に陥りましたから、その存在を何度も身近に感じました。だから、ガイド・スピリットの存在を受け入れ、信じることができるのです。

普通の人は、そんなに何度も窮地に陥ることはありません。だから、太陽のありがたみがわからないのです。

太陽を信じてください。どんなに厚い雲がかかっていても、その上には必ず太陽があります。なければ、この世に命はないのです。

天職と適職は別物です　これを曖昧にしてしまうと人生のドライブはうまくいきません

天職と適職は違います。この二つは、よく混同されがちですが、違いをはっきりさせることが大切です。その違いは、宿命と運命の違いによく似ています。

宿命に当たるのが天職です。天から授かった職業。自分の魂のための仕事です。自分が好きで仕方がないこと、あるいは、人に喜んでもらえることです。

一方、運命に当たるのが適職です。これは、自分が持っている頭脳や肉体のいい部分を使って、お金を稼げる職業のことをいいます。あくまで現世で生きていくための手段でしかありません。

天職と適職が同じという人はほとんどいません。同じなのはかなり珍しいことです。なぜなら、天職は収益にならないことが多いからです。

たとえば、病院のお医者さんの中には、「この仕事は天職だと思う」と言う人がいます。「傷ついた人を救う聖職者だ」と。けれど現実には、製薬会社の思惑や、病院のシステムなど、物質界のことに振り回されているのが実情です。そんな中で「医師は天職」と思いつづけているとすれば、それは傲慢です。

本当に「傷ついた人の命を救う」という純粋な目的のために、無医村に行くとか、「国境なき医師団」のように紛争地帯で苦しむ人々のために働くといった道を選べば、それは「天職」といえるでしょう。それで生活できるだけの収益があるなら、「天職」と「適職」が一致した幸せな例といえます。

天職と適職は、車の両輪なのです。両方に同じだけの比重がかかっていれば、前に進むことができますが、どちらかが少なければ、まっすぐ進むことはできません。

人生を前向きに生きるためには、両者に同じ比重をかけることが必要なのです。収益の伴わない天職だけでもダメだし、収益だけの適職だけでも心は満足しません。

以前、相談者の中に、自分の天職について悩んでいる人がいました。

「何かもっと、私だからこそできる仕事があるような気がする」と言う彼に、私はこう答えました。

「あなただからこそ必要とされる『天職』を求めている、と。それなら、天職は生活の手段とは切り離して考えましょう。あなたが本当にしたいことは何ですか？」

「私は野球が大好きで、甲子園にも行きました。でもプロになるほどでは……」

「じゃあ、子どもに野球を教えてみたらどうですか。最初はボランティアでもいいじゃないですか」

適職は会社勤め、天職は子どもに野球を教えること、そう考えればいいのです。

私の場合、「適職」はカウンセリングです。相談者の方からいただくお金で生活しています。有償のカウンセリングなので、プロとして相談者と接することができます。無償なら、相手への不満が出るでしょう。「一生懸命、答えてあげたのに」という気持ちになりやすいと思います。相談者のほうも、無償だと気兼ねがあるでしょう。お金を介在させることで、いい意味でクールな関係が成り立ちます。

一方、私の「天職」は、月に一度、一般の方を対象に開いている勉強会や、本の執筆です。それで生活をしようとは思っていません。もちろんベストセラーになればうれしいですが、お金を稼ぐために書いているわけではありません。自分が心から信じることを人に聞いていただく。それがその人の人生に役立てば、私の心が満足するのです。それは、私だからできる「天職」だと思っています。

天職と適職、二足のわらじのバランスが崩れると、自分を守りきれなくなります。

生活のための仕事は、生活のため。好きなことは、それで生活しようと考えず、お金を度外視してやっていく。割り切ることが必要なのです。

天職と適職が一致しているのは、ごく一部の限られた人たちだけです。

画家や作家など、クリエイティブな仕事をしている人たちがそうだと思われがちですが、それさえも自分一人の力で好きなようにつくれる部分は限られています。お金を稼ぐという目的があると、どうしても天職とは違う、適職になっていきます。

最初から割り切って二つにわけておくほうが、それぞれにいい結果が出せます。

たとえば、フラワーアレンジメントや、アロマテラピーなど、好きな習い事をして、それが「天職」だと思えれば、どんどん極めればいいのです。結果的に、それで、お金をいただけるようにもなるかもしれません。けれど、会社をやめてお店を開業したりすると、営業や経営など、次第に最初の「天職」の喜びとは違うことをしなくてはならなくなります。

この天職と適職の定義を、しっかり理解して生きていくのと、曖昧にしたまま仕事で悩みつづけるのとでは、人生にかなり差が出てきます。天職と適職、両輪のバランスを上手にとれれば、人生のドライブは快適なものになるでしょう。

転職する人には二通りあります
あなたはどちらですか？

この転職は逃げか、それとも前向きか、自分の魂に問いただしてみてください。自分の心が「これは逃げだ」と思ったなら、今の職場にとどまりましょう。「いや、これは前向きな挑戦だ」と思ったなら、前に進みましょう。

そのときに必要なのは、タイミングと念力です。

「逃げだとわかっているけれど、どうしても転職したい」という場合もあるでしょう。けれど、逃げの転職をしてしまうときは、自分にとって悪い時期です。悪い時期に、いい会社が見つかるはずはありません。結果、転職をくり返すことになります。

いい転職をする人は、だいたい「今の会社に文句はないんだけど」と言います。今の職場環境に満足はしているけれど、新しいところで勝負をしてみたい。そう考えられるときは、自分にとっていい時期です。いい会社に転職ができます。

また、自分が前向きなときには、いい話が来るものです。だから転職も成功し、栄転になっていくのです。

ＮＴＴドコモのｉモードで大成功をおさめた松永真理さんは、その代表例でしょう。リクルートで『とらばーゆ』という雑誌の編集長を務め、大きな実績をあげていたのに、畑違いのＮＴＴドコモに転職。ｉモードを大ヒットさせて、今また新たな会社で新事業に取り組んでいます。いい転職の見本です。

誰しも「逃げたい」と思うときはあるでしょう。けれど、そこは踏ん張るべきです。今いるところで頑張れないのであれば、ほかでも頑張れません。逃げたい気持ちを克服できたと思ったときに転職したらいいのです。

「今の仕事は向いてない」と思うなら、向いている仕事を探すのはいいことです。けれど、そういうときは、なかなか見つからないものです。見つかるまでの間は、今の仕事を続けながら、自分には何が向いているかを考えましょう。そうしているうちにあっという間に半年や一年は過ぎます。すると、運の流れが変わってきます。よい波動が来て、運気が上がってくるのです。そのときに、動けばいいのです。

「嫌だな」と思って、すぐに動くのは失敗のもと。乗り越える努力をしながら、運気の強い時期を待ち、それから動くこと。そうすれば、いい転職ができるはずです。

キャリアウーマンも、専業主婦も
どちらもすばらしい「仕事」です

仕事と結婚、両方を選ぶのか、片方だけを選ぶのか。いずれにしても、世の中の意見に惑わされてはいけません。

人にはそれぞれの個性、器があります。専業主婦に向いている人もいれば、キャリアウーマンに向いている人もいます。「キャリアウーマンには向かない」と言うと不服顔をする人もいますが、専業主婦に向いているということは、立派なお母さんになれるということです。友人がキャリアウーマンで、共働きをしているからといって、自分も同じように生きなければいけないということはないのです。

人には向き不向きがあります。専業主婦に向いている人が、仕事と両立させようとすれば、ストレスが大きくなって苦しむでしょう。逆に、キャリアウーマンに向いている人が家庭に入ったら、ストレスで家族にやさしくできないでしょう。

仕事は仕事、家庭は家庭と割り切って考えられる人は、両方、頑張ればいいのです。

お金のためだけではなく、自分のアイデンティティのために社会と接していたいという人は働いてください。それが、その人らしい幸せのかたちです。その幸せを認めてくれない家族なら、それはその家族のほうがおかしいのです。

ただ、仕事をしている分、専業主婦よりも家庭に振り向けられる時間が少ないし、体力的にもキツイでしょう。それは自分で選んだことですから、覚悟して取り組んでください。家事も、なるべくなら手を抜かずに頑張りましょう。

手を抜きたくなったときは、家族に甘えてもいいのです。ただし、日頃から、家族にブツブツと不平不満ばかり言っていると、そういうときに協力してもらえません。日頃、家族に寛容であれば、「今回はごめんね、私はできないけど」と言えます。そうすれば、夫でも子どもでも、協力してくれるはずです。

要するに、自分の器を知り、自分の生きる方針を決めて、それに合わせて素直に生きればいい。どちらにしても、背伸びをしてはいけません。

働くことが背伸びである人もいれば、家庭に入ることが背伸びになる人もいます。自分の魂によく聞いて、自分に合った生き方をしてください。

相手を変えようとしてはいけません、あなたが先に変わればいいのです

あなたに「母の愛」が欠如しているとき、あなたは部下に泣かされます。

人の上に立つ人は、男性でも女性でも「母」になることが必要なのです。あなたがイタズラをしたときは叱り、あなたが失敗したときは慰め、あなたの成長だけを願ってくれた「母の心」を思い出してください。それが上司に必要な第一の条件です。

そして、次に大切なことは、「あなたの部下は、あなたの会社で働くために生まれてきたのではない」ということ。これを肝に銘じてください。

上司は部下に、目の前の仕事をこなすことだけを求めます。けれど、人間はその仕事をするために生まれてきたわけではありません。魂を磨くために、この世に生まれてきているのです。

そうは言っても、経済活動をしないと物質界では生きていけません。だから仕事をする。そのような社会活動を通して、魂を磨けるようにしているのです。神様がうま

くコーディネートしてくれているわけです。

会社で働いている人はみな、上司であるあなたも含めて、未熟です。未熟な人間が、仕事をしているのです。

どんな人間に対しても、杓子定規《しゃくしじょうぎ》な考え方ではうまくいきません。その人間が、いかにしてこの現世で生きていけるか。そこまで考えてください。

もしその部下が本当に今の仕事に向いていなくて、やめたほうがいい人なら、母の気持ちになって、そう伝えなければいけません。

そうではなく、この仕事をさせることがその人にとって必要なことなら、「なぜ、君はこの仕事をしているのか」「この仕事から何を学ぶべきなのか」を教えてあげるのが、母の愛です。その点を指導できなければ、部下は育ちません。

部下に文句を言う人は、その仕事の内容しか見ていません。人格までは見ていないのです。あるいは、自分の都合だけで、相手を判断してしまっています。

そうではなく、相手の人間としての学びや成長、すべてを視野に入れて、指導してみてください。そのように接していれば、必ず部下は変わっていくはずです。

独立は「人として」ひとまわり大きくなれるチャンスです

「独立して仕事をする」これは、世の中の人全員にすすめたいことです。

人間が最も学べるのは、上司になること、独立すること、親になること、この三つです。この三つをこなすと、人間は大きく成長できます。なぜなら、そのどれもが、「ままならないこと」だからです。

独立すると、サラリーマン根性は通用しません。一人で世間と向かい合うわけですから、さまざまな苦労があるし、また逆に喜びもあります。人間的に成長せざるをえない状態になります。

ただ、人にはそれぞれ器がありますから、自分が独立に向いたタイプかどうかを、よく考えてから行動するほうがいいでしょう。

自分は独立タイプではないと思う人は、会社の中で上司になることで、魂を磨くこともできます。あるいは、親になることでも、大きく成長できるでしょう。

この三つを経験すると、人間ができてきます。

人生は短いですから、チャンスを見つけて一つでも多く苦労したほうがいいのです。

ただ、苦労といっても、二種類あります。

以前、私の母が降霊会のときに降りてきて、「苦労は買ってでもしたほうがいい」ではなく、「買うぐらいなら、苦労はしないほうがいいねえ」と言ったことがありました。「どうして?」と私が聞くと、「人のおおよその苦労は、自分でつくっているものだから」という答えが返ってきました。

人は本当の苦労を、なかなか味わっていないのです。自分の我や執着心によって、しなくていい苦労をしている。自分でつくっている苦労は、苦労とはいえません。

自分が天命として与えられた苦労をしなければいけないのです。

そのための一つのチャンスが、独立だと考えてみてください。そういう視点で考えてみれば、また違った判断ができるようになるかもしれません。

仕事は生きるための手段であって目的ではありません

仕事のために生きているのか、生きるために仕事をしているのか、あなたはどちらですか?

仕事のために生きているのは、日本人だけです。欧米人は、生きるために仕事をしています。「生きる」ことが主なのです。日本人は「働く」ことが主になってしまっている人、仕事の亡者《もうじゃ》と化している人が多いようです。

仕事が趣味か道楽のようになって家族を顧みないために、家庭が崩壊することはよくあることです。崩壊する家庭から逃げるために、また仕事づけになる。これでは悪循環です。

その場合は、あとになって自分の魂の濁りを後悔することになります。

人がワーカホリックになるのは、会社への帰属意識を求めてのことだと思います。

自分がどこかに属していると確認して安心したい。その気持ちが、仕事に駆り立てる

のです。そういう人にとって、会社というのは聖域なのです。

勉強会に来て私の話を聞いても、「ああ、いい話ですね。でも会社では通用しません。会社は現実ですから」と言う人がいます。魂のレベルの話をする自分と、会社で仕事をする自分が、切り離されているのです。

そういう人に、「何を目的にして会社を選びましたか？」と聞くと、「スーツを着て、ネクタイを締めて、丸の内に通いたいから」というような答えが返ってきます。

そうやって仕事を選ぶ人もいるのかと、半ばあきれ、半ば不思議に思いました。

そういう人は、会社への帰属意識を強く持つようになります。

しかし、帰属意識が強すぎると、たとえば出世競争でつまずいたりしたときに、もろいのです。一流大学を出て一流会社に入っても、少しの挫折で無気力症になる人、精神的に破綻する人はたくさんいます。そうならないためにも、何のために生まれてきたのかを、もう一度思い出してください。会社や組織への帰属を求めて働き蜂になるのではなく、あなた独自の生き方を探しましょう。

人は、仕事をするために生まれてきたのではありません。魂を磨き、学ぶために、生まれてきたのです。

Chapter 6

夢を叶えたいあなたへの
スピリチュアル・メッセージ

Spritual Book

あなたの人生は、あなた自身がつくっています。あなたの「運命」もまた、あなた自身が決めていることを忘れないでください。

夢を叶えるということは
自分が「自分」として生まれた目的を果たすということです

自分のスピリットの本当の目的を具体的にくわしく知りたいときには、カウンセリングを受けることをおすすめします。

その中で、自分の前世や、生まれてきた目的を知ることはできます。

「あなたの前世」というとき、それは「前世の記憶を持っているあなた」のことを指します。ですから、何人もいるのです。

グループ・ソウルは、何度もこの世に生命を送り出して、学びつづけています。けれど、すべての経験を足しても、まだ学びが足りない。だから、再び現世で学びを積むために、グループ・ソウルの中から一つの魂が分かれ出て、あなたという人間が生まれてきたわけです。

あなたが一生かけても、まだ足りない。すると、グループ・ソウルの中から、また誰かが生まれてきます。それは、あなたの「来世」ということになります。

人間の再生というのは、実はこういう複雑なシステムによっているのです。

人間はみな、このように魂の故郷からこの世にやってきているのです。

生きる目的を知るには、自分のグループ・ソウルが何を望んで自分をこの世によこしたのか、それを知らなければなりません。

最近は前世ブームですが、「前世、自分はどこの誰であったか」ということにだけ興味を示す人が多いようです。でもそれは、スピリチュアルの世界の中の、実に無駄な部分です。

そうではなくて、「自分自身が何をするためにこの世に来たのか」ということを知ることが、最も大切なのです。

前世を語る霊能者の中には、「あなたは前世、クレオパトラでした」とか、「織田信長でした」と言う人はいますが、「横町のおじさんでした」と言う人はなかなかいません。けれど、横町のおじさんでもいいのです。横町のおじさんだった人が、なぜ今という時代を生きることになったのか。その意味を探ることが、自分自身の生きる目的を知ることになるのです。

となると、やはり自分の前世の流れを知ることが必要になってきます。どこの誰だったかではなく、その生き方を知るのです。何が足りなかったのか、何を求めてまた今回、この世に旅立ってきたのかを知る必要があるのです。

魂にはすべて意味があります。意味のない人は絶対に現世に生まれてきません。現世というのは、基本的に学びの世界です。どんなに立派な人であっても、今、この世に生まれてきて生きているということは、学ばなければいけない人だということです。

霊能者のカウンセリングを受けずに、それを知る方法が、ただ一つだけあります。それは、自分の歴史、自分史を見つめることです。

まず自分自身の「宿命」とされている部分を知ることが課題です。たとえば自分の両親、これは宿命です。この両親のもとに生まれてきたことに、まず意味があります。ものすごく仲がよくて問題がない、という親子はあまりいません。必ず何かしら問題があります。

「なぜ自分は、この親のもとに生まれてきたのか」ということを考えることが、自分の生きる意味、学びの課題を知る上で必要なことです。

たとえば、非常に口やかましい親のもとに生まれた人は、「自分にはルーズなところや、常識からはずれやすい気質があるのかもしれない。それを戒めるために、こういう親を与えられたのだろう」などと考えてみるわけです。

次に、自分の失敗を振り返ってみるとわかるときがあります。

人は生きていると必ず同じ失敗をくり返します。たとえば、「私はお人よしでバカを見ることが多い」といった失敗のパターンが、いくつもあるはずです。それを振り返って、「私はこういう性格なのよ」と開き直るのではなく、「この点に生まれてきた目的があるかもしれない」と観察してみるのです。

自分の長所、短所をピックアップしてみると、「自分はこの点は長けているけれど、この点はできていない。これを学びの目的として生まれてきたのだな」とおおよそ見当がついてきます。

そういうことを日常的に考えている人は、カウンセリングを受けたとき、すぐに思い当たるので、自分の生まれてきた目的をつかみやすいのです。

また、癖の中にも自分の魂の流れは現われてきます。

たとえば水が怖い人。こういう人は、前世で入水《じゅすい》自殺などをしている可能性があります。あるいは、好奇心が人並み以上に旺盛な人。こういう人は前世で幼くして亡くなっていることが多いのです。もっと社会経験をしたいと思って生まれてきているので、人一倍好奇心が強く、習い事でも何でもやりたがります。けれど臆病で、恐れを抱きやすいのも特徴です。前世で早く亡くなっているので社会性がない。だから怖いのです。子どもを持つことや出産を必要以上に恐れたりします。

前世で子どもを産まなかったり、子どもを亡くした人も、出産に恐れを抱きやすいです。反対に、前世で子どもをたくさん産んだ人は、今生においても、苦もなく子どもを産み、しかも多産です。

そういった自分の性格の傾向や癖などから、前世が見えることがあります。ヒントは、日常の中にたくさん潜んでいるのです。それをキャッチすれば、「前世はきっとこうだったんじゃないか。それなら、この世での私の課題はこういうことかもしれない」と、おぼろげに判断することはできるはずです。

どういう前世であったかを知ることで、自分に備わっているおおよその才能を知ることもできます。

たとえば、前世で織物職人をやっている人の場合、現世でもテキスタイル関連の仕事をしている場合があります。そういう人には、私は「テキスタイルはとても向いているので、そのまま続けていい仕事をしてくださいね。それがあなたの適職ですよ」というアドバイスをします。

何も才能がない人はこの世にいません。みんな宝石なのです。

ただ、磨くべきその源を、間違えないようにしてください。

魂の質を知るということ。何の才能があり、何に向いているか。それを知ることで、人生の目的を見つけることもできるのです。

結婚をするために生まれてくる人もいます。前世は独身だったので、今生では結婚して子どもを産みたい。そんな願いを持って生まれてくる人もいます。

それは魂の夢なのです。

それがわかれば、あとはその夢をふくらませていけばいい。

自分の夢を叶えるということは、自分が生まれてきた目的を果たすということ、魂の夢を叶えるということです。

今ある自分のすべてを受け入れること、そこからすべてが始まるのです

人はみな、何かしらコンプレックスを感じながら暮らしています。では、どうすればコンプレックスを克服し、自信が持てるようになるのでしょうか。

スピリチュアリズムでは、こう考えます。

人は、自分の容姿や性別、生まれてくる国、両親、場所、すべて生まれる前に自分で決めてきています。先の項でも書いたように、今ここに、この姿で生まれることによって学べるものがある。それを学ぼうと決めて、生まれてくるのです。

けれど人は、自分で決めたということを忘れて、与えられた「宿命」だと思っています。確かに、容姿や性別は自分の力では変えられないもの、すなわち「宿命」です。

けれど、その宿命の上に「運命」をつくっていくことは、誰でもできます。

デコレーションケーキを想像してください。宿命とは、ケーキのスポンジ台です。

その上に、運命というデコレーションを施していくのが、私たちの人生なのです。

デコレーションは、自分で好きなように施せます。白とピンクの生クリームをのせて、小さな家を飾る人もいれば、ブッシュタイプの土台なら、茶色のクリームで木の感じを出して、緑の葉っぱをつける人もいます。

運命も、それと同じように、自分の努力で変えることができるのです。

ただし、努力を怠ると運命は変わりません。あらかじめ決まっている宿命に振り回される人生、デコレーションのないスポンジ台だけの人生になってしまいます。そこに、「学び」はありません。

たとえば、小顔が流行の今という時代に、大顔に生まれついたとします。これは宿命です。その顔を卑下して、うつむいて暮らせば、スポンジ台だけの人生です。けれど、その顔の個性を生かすメイクを学び、個性的なファッションセンスを身につけるよう努力をする。劇団に入り、演技を学び、有名な女優になる。そういう生き方もできるのです。これが、「運命」を自分の手で切り開くということです。

流行に逆行する外見に生まれても、努力次第で豊かで充実した人生が手に入る。そういうことを、この人は学んだのです。

ですから、自分を高める目的に向かっていってください。その努力は自信に変わります。そのために、お金がかかってもいいのです。しょせんお金は物質にすぎません。気にせずに、どんどん自分に投資すればいいのです。

何よりよくないのは、怠惰です。努力をせずに、宿命を嘆いてばかりいると、自分に自信が持てなくなります。自分の力では何もできない、という無力感にむしばまれてしまうからです。

では、どうすれば努力ができるようになるのか。

まず、宿命を受け入れることです。土台となるスポンジ台を愛することです。自分の宿命を受け入れられない人は、この世で最も不幸な人です。自分の家族を受け入れられない人、自分の容姿を受け入れられない人、ナショナリティや性を受け入れられない人、こういう人は、宿命という土台の上に、運命というデコレーションができません。何も学べません。これは、最も不幸なことです。

自分の持って生まれたものを受け入れれば、さらにそれを磨いたり、補ったりする努力ができます。受け入れなければ努力もできません。宿命は、生まれる前に自分で選んできたもの。それを受け入れ、愛し、学ぶことです。すると、運命を切り開く努力ができる。と同時に、自分に対する自信も生まれてくるのです。

自信は「経験」から生まれます
そして失敗を恐れない「勇気」がそれを育てるのです

自分の能力に対する自信についても、同じことが言えます。

持って生まれた宿命を受け入れ、その上で努力をすることです。そうしなければ、自信は身につきません。

もう一つ言えることは、自信というのは「経験」の上に成り立つものだということです。経験がないのに自信があったら、そのほうがおかしいのです。

「自分の能力に自信がなくて……」と言う相談者に対して、私はいつも、「あなたは、どれだけ経験を積みましたか？」と聞きます。

すると、「いえ、経験はまだしていません」と答えが返ってくる。

してみたこともないのに、自信があるほうがおかしいと思いませんか？

まず、今できることをして、経験を積みましょう。

たとえば、英会話をやりたいなら、やればいい。旅行に行きたいなら、行けばいい。

いろいろなことを経験した上で、はじめて自信がついてくるのです。

経験もないのに、最初から自信のある人は、病気です。傲慢という病気にかかっているのです。

経験がなければ自信が持てなくて当たり前。経験を積めばおのずと自信はついてきます。こういうことは、あれこれ悩まずに、機械的、実務的に考えましょう。

自信がないからといって、行動しなければ、いつまでたっても自信は生まれません。行動する前にあれこれ考えてしまって、なかなか動けないという人は、恐れを手放せないのでしょう。不安な気持ちが、行動力を鈍らせているのです。その結果、何もしないという怠惰に流れて、いつまでたっても自信が持てません。

思いきって行動してみると、おのずと自信はついてきます。失敗しても、つまずいてもいい。人に何と思われてもかまわない。とにかくやってみる。その勇気が、やがて自信につながるのです。

「自分が自分であること」を受け入れましょう そこから運命はいいほうに動きはじめます

勉強会にいらっしゃる方の中に、自分の過去をものすごく嫌っている人がいます。

特に、自分の学歴に大きなコンプレックスがあるため、東大に行っている人や、勉強する環境に恵まれているお金持ちなどが、大嫌いです。

現在、その人は独立して会社を興し、立派に仕事をしています。それでも、いつまでもトラウマから抜け出せず、高級車やブランドの服に執着しているのです。

しかし、それは愚の骨頂です。もし、自分が生まれた家の経済的な事情で大学に行けなかったのなら、今からでも受験して大学に行けばいいではありませんか。それを乗り越えなければ、いつまでたっても過去にとらわれたままです。ネガティブな考え方のまま、人をうらやみ、妬《ねた》んで、人生を終わってしまいます。

私は今、音楽大学で声楽を学んでいます。幼い頃、「ピアノかバイオリンを習わせて」と母に頼んだのですが、「お大尽じゃあるまいし」と一笑に付されてしまいました。

父は、私が4歳のときに亡くなっています。母子家庭で、音楽を習う経済的なゆとりがなかったのです。それで、音楽を学びたいという夢は叶いませんでした。

その後、私が15歳のときに、母も亡くなりました。両親がいないために、人から粗末に扱われたり、騙されたりもしました。おまけに、体も弱かったのです。

もちろん、私も悩み、もがきました。どうして両親は早く死んだのか。どうして独りぼっちにならなければいけないのか。夢が何一つ叶わないのか。

けれど私は、そういうどうしようもない宿命を受け入れようと思いました。「ああ、この苦しい環境が、自分の宿命なんだな」と思うようになったのです。そう思わなければ、生きていけなかったからです。

宿命を受け入れたとき、運命は変わります。私もいろいろなことが好転しはじめ、出会いにも恵まれ、自分の道が見えてきました。

過去にできなかったから今もできない、と決めつけてはいけません。今から、どうするか。それがすべてです。あなたの未来をつくれるのは、あなたしかいないのです。過去にとらわれている暇はありません。

「こんなふうになりたい」という夢を実現させる方法

「こんなふうになりたい」という夢を実現させるには、その夢がまず自分の魂にそった夢であることが第一です。

ポジティブな夢なら何でもいいかというと、そうではありません。ときどき、自分の器と違うものを夢見て走っている人がいます。自分の魂の質に合わない夢を追いかける場合は、逃避であることが多いものです。本当は別にやるべきことがあるのに、それから逃避して別の夢を追いかけているのです。

本当の自分がわかると、魂が求めていること、自分が本当にやりたいことがわかってきます。そうなれば、あとはポジティブにその夢を実現していけばいいのです。臆病にならずに、前向きに取り組んでいけば、必ず夢は叶います。

魂の目的にそった夢であれば、その実現は困難ではありません。

ただ、本来の夢とは別に、「プロにはなれないけれど、どうしてもやりたいことが

ある」という場合もあるでしょう。

私たちは、グループ・ソウルの夢に必ず従わなければいけないかというと、そうではありません。現世に生きる私たちの意思が、まず優先されます。私たちがグループ・ソウルの意思とは違うことを選択しても、ガイド・スピリットはそれを見守ってくれます。私たちは、操り人形ではないのです。

それでもやはり、グループ・ソウルの夢の中に、私たちの人生の夢を決める手がかりがあることだけは確かです。別のことがやりたい場合は、趣味として、あるいは自分自身の経験として、割り切った上で挑戦すればいいのです。それは悪いことではありません。自分にできる範囲の中で、自分を磨いて豊かにするためなら、何をしてもかまいません。ただ、大筋の生き方を変えてまでのめりこんでしまっては、おそらくガイド・スピリットに軌道修正させられるでしょう。

たとえば、私が歌の勉強をすることもその一つです。今のカウンセリングの仕事をやめてまで歌にのめりこんでしまうと、ガイド・スピリットに軌道修正させられるでしょう。「できることはできる。できないことはできない」。このガイド・スピリットの言葉は、いつも私の耳の中にあります。

宿命はあなたの存在そのもの、変えることはできません
でも、運命は思い通りに変えられます

現世での生き方や行動は、たいてい前世に影響されています。

たとえば、私の前世は茶坊主でした。自分で分析してみると、おかしいのですが、私はやはり今も茶坊主的な生き方をしています。

茶坊主というのは、時代劇などによく出てきますが、権限があるのかないのかわからない人です。けれど、いつも殿様のそばにいて、戦いにも参加せず、いい立場です。お茶などをたてながら、殿様の人生相談をしたりしています。

今の私も、権力や権限のある立派な立場にはありませんが、さまざまな文化人、有名人に出会い、親しくさせていただいています。まさに現代の茶坊主です。

また、私は前世において、薬剤の調合がうまかったのでお殿様に重宝がられて、いい待遇を受けていました。でも、それを妬まれて、あるとき薬をすりかえられたのです。それで殿様の具合が悪くなり、私は牢に入れられました。牢の中で、私は自分が

調合を間違えたのだという自責の念に苦しみ、悶死しているのです。

今、私はそういう前世がわかっているので、そうならないように注意しています。

それでも、現世の私の生き方が、前世の生き方と符号することは多いのです。

たとえば、私は学生時代からよく目上の人に引き立てていただきます。年配の方にかわいがっていただけるのです。同時に、周囲からは妬みを買いやすい。お寺で修行をしたときは住職にかわいがられ、「お寺を一つ任せてあげよう」とまで言われたのですが、それが妬みのもとになり、先輩にいじめられて追い出されました。

そういう経験が、いくつもあるのです。

私が前世から教訓を得るとすれば、引き立てていただけるのであれば喜んで受けるとしても、妬みを買わないように上手に生きていく必要があるということです。

薬をすりかえてまで陥れられたということは、よほど気遣いのない能天気か、傲慢な人間だったのかもしれません。人に対してもっと心遣いをしていれば、それほど妬まれずにすんだのではないでしょうか。常に、横や下のつながりを大切にして、人を大事にしなければいけないということを、前世から教えられていると思います。

また、悶死したということからわかるように、私は本来、思い悩むタイプです。けれど、前世を知ったおかげで、とても楽天家になりました。

このように、前世を知ることによって自分が改善すべき点を知り、改めていくことができます。つまり、現世の運命を変えていくことができるわけです。

別の例でいえば、前世で幼くして死んだ人は、今生で親子の仲が悪いことが多いのです。そういう人は前世で親の愛情のありがたみも、どれだけ親を悲しませたかも知らずに生まれてきているので、わがままです。そして、好奇心が旺盛で、臆病なことも特徴です。前世で結婚をしていないので、結婚へのあこがれは強いのですが、結婚に対しても臆病です。そういう人は、前世を知ると、親への態度を改めたり、勇気をふりしぼって結婚の決意ができるようになります。そういう例はたくさんあるのです。

宿命を受け入れる。運命を転換させるためには、それが絶対に必要です。宿命を変えようとするのは、自分の生きる目的がまだわかっていないからです。運命は、宿命を受け入れることによって、いくらでもいい方向に変えていけるのです。

宿命を受け入れられない人が、この世で最も不幸です。何かで悩んでいるとき、自分は宿命を受け入れているだろうかと考えてみてください。受け入れれば、必ず運命は変わっていきます。

Chapter 7

幸せな人生にはルールがあります

Spritual Book

あなたが幸せな人生を送るために、覚えておいてほしい幸せのルールがあります。それは、決して難しいことではありません。

これから説明する8つの法則は、スピリチュアリズムにもとづいた、生きる上でのちょっとした心構えです。

この法則を知って実践すれば、あなたの毎日はもっと楽しく有意義なものになることでしょう。自分自身、そしてまわりの人々を愛する気持ちが芽生え、心に余裕が生まれます。小さなことでくよくよすることもなくなるはずです。

さあ、今日からあなた自身の幸せを見つけるためにスピリチュアルな世界に目を向けてください。あなたがまだ気がついていないだけで、その幸せはもうすぐそこまで来ているのです。

スピリットの法則

あなたはスピリットの存在です。今、ここにいるあなたは、肉体だけの存在ではありません。肉体と霊魂、すなわちスピリット（心・精神）が折り重なって生きている存在なのです。その重なりあっている存在が人間であり、物質界を生きるあなた自身なのです。

あなたがいつか迎える「死」さえ、単なる肉体と霊魂の分離にすぎません。セミが抜け殻を離れて飛んでいくように、あなた自身も「死」を迎えることで、抜け殻としての肉体を離れるだけにすぎないのです。

死を迎えてその肉体を失ってからも、永遠に生きつづける存在なのです。

私たちは感動するために生まれてきた

この宇宙には、私たちが生きている現世と目には見えないスピリチュアル・ワールドが存在します。

スピリットの存在である私たちは、より大きなスピリットとなる勉強をするために、スピリチュアル・ワールドからやって来ました。

なぜ、この世へ来なければならなかったのでしょうか。

それは、この世でなければ学べないことがたくさんあるからです。

スピリチュアル・ワールドは非物質界で、いわば心・精神の世界です。心のあり方がすべてで、何でも見通すことができ、何でも自由に創造することができます。時間も、距離も、健康も、お金も自由になり、何も心配することはありません。

しかし、現世ではそうはいきません。何かを得ようと思えば努力が必要です。たとえば、出かけるには歩かなければなりませんし、歩けば疲れます。お金も必要になるでしょう。病気になることもあります。人の心も読めませんから日々人間関係に悩みます。何とも不自由な世界です。

しかし、不自由だからこそすばらしいともいえます。恋も、仕事も、結婚も、うまくいったときに達成感を味わえるのは、それまでにいろいろな悩みや苦労があればこそです。

ところが、うまくいかないことがあると、私たちは現世へやって来た意味を忘れて

「自分はツイてない」とか、「不幸だ」とか口にします。

恋愛の相談を受けると、「相手が私のことをどう思っているのか知りたい」「彼とこのままつきあってうまくいくでしょうか?」とよく質問されます。確かに相手の心が読めないのは苦しいものです。しかし、だからこそ、愛情が通いあったとき、大きな喜びを味わえるのです。

たとえ、失恋をしたとしても、そこにはさまざまな気づきがあります。成長があるのです。私たちはさまざまな感動を味わうために生まれてきたのです。

この世に「不幸」は存在しない

先ほども書いたように、あなたはスピリットの存在です。この真実を知り、理解した人がまず幸せをつかむ第一歩を勝ち得たことになるのです。

逆に、このことを忘れてしまうと「人生は不幸なもの」という思いに陥って苦しむことになります。

ここで一つ、あなたの日常の生活を思い浮かべてください。あなたが現実の生活の中で、あなた自身を「不幸だ」と思わせる悩みの種は、いったい何でしょうか。なかなか恋人ができないことで悩んでいるのですか。いつ結婚できるのか心配なのですか。お金に恵まれないことが不安なのですか。職場の人間関係でつらい思いをしているのですか。自分に合った仕事がわからなくてあせっているのですか。スタイルやルックスに不満があるのですか……。

悩みの度合は別として、あなたは今までの人生で悩みを持たなかったことはないと思います。しかし、そのほとんどの悩みは、あなたがスピリットの存在であるということを忘れ、永遠に生きることのない「肉体」の存在だと思いこんでいるために生じる悩みなのです。

あなたが今まで手に入れようとしてきた、たくさんのお金や優秀な仕事や職場の実績、自慢できるような恋人や磨きあげた体でさえ、あなたの肉体が死を迎えたら何一つ持っていくことはできません。あなたのスピリットが唯一持っていけるもの――それは、あなたの「経験」だけです。つまり、あなたが日々の生活の中で抱いている悩みとは、肉体という殻に封じこまれているがゆえに生まれた足かせにすぎないのです。

もし、あなたがスピリットの存在ではなく、その人生も80年足らずで「無」になってしまうのであれば、どんなに一生懸命生きてみたところで意味がないということになってしまいます。すべては肉体の終わりとともに消滅してしまうわけですから、自分のことだけを考えて生きたほうが得だし、他人から奪うだけの人生のほうが楽しいということになります。そして、限られた人生をやりたい放題に生きたほうが、断然「幸せ」だとも言えてしまうのです。「無」になる前に、自分の体が喜びを感じることだけをすればよいのですから、食欲・物欲・性欲を貪欲に満たせるだけ満たしたほうが「幸せ」ということになります。

このように言ってしまうと、「極端すぎる」と反論する人もいると思います。でもちょっと考えてみてください。それがあなたが普段追い求めている「幸せ」と本当に違うと言えるでしょうか。

あなたも、そんな幸せを求めてきたあまり、人生の中で競争をくり返しては騙され、妬まれ、傷つけられてきたのではないでしょうか。その多くの悩みをくり返しては「不幸」だという思いに陥っていたのではないでしょうか。

本当の幸せに出会うために、スピリットの存在を理解してください。今まであなたが出会ってきた悩みや苦しみは、すべてそこから生じた現実なのですから。

今大切にしなければならないのは、スピリット＝心・精神なのです。

ステージの法則

スピリチュアリズムでは「ステージの法則」と呼ばれるものがあります。
スピリットの存在であるあなたは、宇宙の根元的な存在、偉大なる愛と喜びのエネルギーであるグレート・スピリットに向かって階段を上るように上昇をくり返していく存在なのです。

すべては「心」の世界

人は「死」によってどのような世界へ移行するのでしょうか。私たちの現世でのクライマックスはドラマティックな臨終です。人の死というと多くの方が怖いもの、恐ろしいものと考えるかもしれません。しかし、死を迎えるとき、苦しんでいるように見えても、スピリットは見た目ほどの苦しみを感じていないのです。

人が亡くなるとその家族が涙を流して悲しみます。しかしスピリチュアル・ワールドから迎えにいくスピリットたち（両親であったり、祖父母であったり、ガーディアン・スピリットであったりと、その人に一番ふさわしい人です）は、「おかえりなさい」「よく頑張ったね！」と喜ぶといいます。また、現世では子どもの誕生に歓喜の声をあげますが、見送るほうのスピリットたちは、「これから現世で苦労をしながら学ぶのか……」とその身を案じ、涙ながらに別れを惜しむというのです。

スピリットの存在であるあなたは、死を迎えると、肉体という殻を脱いで幽体と呼ばれる霊的なエネルギーの体に移行します。そして、現実のこの世界と霊的な世界の中間点である幽現界へと上昇を始めるのです。そして幽現界に上昇したスピリットは第2、第3の死を迎えて、あなたの姿を形づくっている幽体までも脱いでいきます。

そして霊体と呼ばれるより高いスピリットとなって何層もの幽界、霊界の中での上昇をくり返し、大いなる愛のエネルギーであるグレート・スピリットへと統合されていくのです。

現実の世界で子どもから大人へと成長していくように、あなたは「死」を迎えてスピリチュアル・ワールドへ旅立ってからも、そのスピリットを浄化させながら永遠の成長を続けていく存在なのです。

スピリチュアル・ワールドはあなた自身の成長のレベルによって、そのスピリットの輝きのレベルによって、段階を踏みながら進んでいく階層世界です。その流れを左右するのは、この現実社会でのあなたの行為や、放つ言葉、思いというマインドの働きなのです。

地獄という場所は実際には存在しませんが、その人のスピリットと同じレベルの層に行くわけですから、あなたが意地悪な人なら同じように意地悪な人たちばかりがいるところへ行くことになります。これこそ地獄でしょう。スピリチュアル・ワールドはどんな美辞麗句を並べても通用しない、現世のずるさは通用しない「心の世界」なのです。

否定的なマインドに気をつけましょう

この世には、「未浄化霊」という存在があります。否定的なマインドを持ちつづけ、そのエネルギーを停滞させてしまっている、いわゆる成仏《じょうぶつ》できないスピリットのことです。

その一つは、自分が肉体を捨てスピリットの存在となったことに気がついていない、つまり死んだことが受け入れられない存在。もう一つは現世に心残り、執着があって、そのために、いつまでも現世にとどまっている存在です。

未浄化霊を怖がる人もいますが、私たちは死んでいても生きていてもスピリットの存在です。それは現実の世界であるあなたの日常生活のレベルでも同じことです。

以下のようなことはないでしょうか。

①失敗したり、心配事があるといつまでもクヨクヨしてしまう

②落としもの、なくしもののことが頭から離れない

③人、動物を溺愛するタイプだ

④酒やタバコなど、やめられないものがある。意志が弱い

⑤頑固、偏屈だ

⑥一人で旅行ができない、意気地なしだ

⑦自分は怠け者だと思う

⑧内弁慶である

⑨何事も人のせいにする

⑩暗い性格だ

⑪根に持つ、恨みがましい、執念深い

⑫すぐパニックになる
⑬わがままだ
⑭死後の世界なんて信じない

思い当たることが多ければ、あなたも「未浄化霊」と同じように思いや感情を手放せないで、スピリットの成長を停滞させてしまっているということです。ここにあげた例はすべて執着がもとにあります。執着を払いのけてください。こだわらない心を持つことこそ、愛と喜びへの近道なのです。

美しいオーラを放ちましょう

あなたが否定的な感情や思いを手放せないでいるとき、それはオーラとして、あなたの後ろにくっきりと映し出されます。

オーラという言葉は昨今、比較的ポピュラーになりましたが、実際それがどういうものかご存じですか？

オーラには二種類あります。一つは幽体が表わすオーラです。これは、肉体の健康を表わすもので、肉体にそって光を放っています。健康な人であれば暖色系のオレンジやイエローなど。不健康な人であれば寒色系のブルーやグレーなど。全体の色合いが均一ではなく、場所ごとに細かく変化しています。

もう一つはあなたのスピリットが表わすオーラです。これは頭やおなかを中心に現われます。この色によってあなたの心境がわかります。

スピリットの心境が最も高い人は、金色に輝いています。怒りに燃えている人は真っ赤、やさしい人は紫色の光を放っています。また、ネガティブな人は色の放ち方が弱く、ポジティブな人ほど大きく輝いています。

スピリットは正直です。あなたのオーラを見ればあなた自身の体調から心境まですべてがわかります。また、大きく美しいオーラはさまざまな幸運をも引きよせます。

だからこそ、健康とポジティブな思いが大切なのです。

私たちは日々の暮らしの中でさまざまな煩わしいことに振り回されています。しかし、ステージの法則という、この永遠の大道から見れば、どれも実に小さなことばかりです。私たちはみな落ちこぼれの天使なのです。だからこそ、いろいろな経験を重ね、さまざまな心を学び、向上していけるのです。

波長の法則

ここであなたの日常を思い浮かべてみてください。あなたは日々どのような人々に囲まれて暮らしていますか？

大きな愛情や思いやりを注いでくれる家族や恋人でしょうか。やさしさやいたわりを持って接してくれる親友や仲間たちでしょうか。それとも人を傷つけたり、蔑《さげす》んだりする上司や先輩たちでしょうか。他人を妬んだり憎んだりする同僚やクラスメートでしょうか。

あなたの「思い」はエネルギーを生み出す

人は自分に愛のあるポジティブな感情を向けられているとき、安らぎを感じます。逆に、憎しみのこもったネガティブな感情にさらされると不平や不満がこみ上げ、憎しみを感じます。「どうして私は人間関係に恵まれないのかしら」「どうして愛しあえる恋人が現われないのかしら」。こんなふうに悩んだり、苦しんだり、ときには怒りさえ覚えて自分は不幸だと思ったことはないでしょうか。しかし、その原因はあなた自身が呼びよせているのです。スピリチュアリズムではこれを「波長の法則」と呼んでいます。あなたはスピリットの存在です。あなたの心の働きは、どのような思いや感情であっても、想念となって霊的エネルギーを生み出しているのです。

そしてそのエネルギーは波動となってあなた自身やあなたをとりまく人々、さらにはあなたを見守るスピリットのエネルギーに大きな影響を与えているのです。

「類は友を呼ぶ」という言葉でもわかるように、スピリットの存在である人間は、同じレベルの想念、同じレベルの波長を持った者同士を引きよせるということなのです。

つまり、あなたが感謝や喜びの気持ちを持ち、いたわりややさしさといった「よい想念」を持てば、同じ波長、高いエネルギーを持った、あなたをいたわり、やさしさを持ってあなたに接するスピリットが感応して集まります。

「思い」「言葉」「行動」ですべてが決まる

では、もう一度、あなたの日常生活を思い浮かべてください。あなたはどのような人たちに囲まれて暮らしていますか？

周囲との関係の中で「幸せ」を感じているあなた。それはあなたのマインドがつくる高いポジティブなエネルギーが引きよせた結果なのです。「不幸」だと感じたあなた。もう一度自分のマインドを見つめ直してください。

しかし、ただ漠然と「ポジティブに！」と思っていてもなかなかうまくいきません。大切なのは、日々の積み重ねです。まず、「言葉」を大切にしてください。

日本の神道では言葉に宿るエネルギーを「言霊《ことだま》」と呼び、言葉を尊重してきました。言葉には「霊《たましい》」が宿っているということです。昔、商家の人はお金を擦《す》ることを忌み嫌い、「スルメ」を「アタリメ」と言ったり、去《さ》ることを嫌い「猿」を「えてこう」と言いかえたりしていましたが、それも言葉の持つ力を知っていたからこそでしょう。

私たちも日々愚痴をこぼしたり、人の悪口を言ったりせず、ポジティブな言葉で生きましょう。

次に、「思い」もポジティブにしましょう。「思い」を意識的に変えていくことが大切です。そしてその「思い」を、「行動」にしてください。周囲の人に愛をふりまいて生きましょう。「言葉」「思い」「行動」を変えること。それがあなたの幸せにつながるのです。

ガーディアン・エンジェルの法則

これまで述べてきた中で、何度も出てきたガーディアン・エンジェル、ガーディアン・スピリットとは守護霊と呼ばれる存在です。それはすべての人に必ず存在します。

私はガーディアン・スピリットを魂の親と呼んでいます。常に私たちをあたたかく見守り、成長を祈り導き、間違いがあれば正してくれる存在だからです。ある意味では、肉親以上に厳しく、また愛情にあふれた親だといえるでしょう。

ガーディアン・スピリットはどの人にも複数存在し、生まれる前も、現在も、死を迎えたあとも見守ってくれているのです。

守護霊は魔法使いではありません

よく「私は運が悪いから、ガーディアン・スピリットがいないんだ、いたとしても私に何もしてくれない」と言う人がいますが、これは大変な間違いです。ガーディアン・スピリットは魔法使いではありません。

子どもに何でも買い与えたり、何でもしてやる親は決していい親とは言えません。よいことをしたらほめ、悪いことをしたら叱って子どもの自立を見守るのがいい親です。あなたの魂の親であるガーディアン・スピリットはそういう存在なのです。

実際にカウンセリングをするとそれがよくわかります。たとえば、「いろんなことがうまくいかない」と訴える相談者の後ろで、その人のガーディアン・スピリットが、「ここで自覚しなければ幸せになれない。だから何も言わないで」と言ったり、また、「強く成長させるために、私がわざとやっているのです」と言ったりすることがあります。

つまり、魂の親は、見守る人間の霊的成長と、スピリットの幸せを一番に考えているのです。

ですから、あなたがつらい思いをしていても手を貸さなかったり、ときにはあえて転ばしたりすることさえあるのです。

しかし、絶体絶命というときは違います。必ず全力で守り、導いてくれるのです。私は日々のカウンセリングで、ガーディアン・スピリットがどれだけ私たちを愛してくれているかを目にします。それは、ときに感動して涙があふれるほどです。

その「偶然」も、これだけの力に守られている

ガーディアン・スピリットは、大きく二つに分けられます。一つは、学校で言うなら担任の先生のような中心的なスピリット。これをガーディアン・スピリット（守護霊）と呼びます。男性は男性のスピリット、女性は女性のスピリットがサポートするのが一般的です。ガーディアン・スピリットはおよそ４００年以上前にこの世に生きていた人がほとんどです。

そして、もう一方はガイド・スピリット（指導霊）と呼ばれる存在で、あなたの才能や適職をサポートしています。おもしろいことに、画家には画家のスピリットが、ヨガの先生にはインド人のスピリットがついています。ガイド・スピリットは、人によって人数も国籍もまちまちで、この存在により、私たちは多くの才能を与えられています。

その他にも、コントロール・スピリット（支配霊）、ヘルパー・スピリット（補助霊）と呼ばれる存在がいます。

コントロール・スピリットは、いわばあなたの運命のコーディネーターです。あな

たの10年以上先まで見ることができます。あなたが今まで偶然だと思っていた人生もこのスピリットのサポートがあったのです。このスピリットは多くの場合、人間のスピリットではありません、自然霊と呼ばれる現世に姿を持ったことのないスピリットで、いわば小さき神のような存在です。

一方、ヘルパー・スピリットはあなたの身内や近い先祖であることが多く、ガーディアン・スピリットやガイド・スピリット、コントロール・スピリットのような力は備えていません。

これらのスピリットたちに私たちは日々見守られているのです。

運命を味方にできる人、できない人

カウンセリングをしていると、ガーディアン・スピリットのサポートを受けられない人がいます。どういうタイプの人かというと、やはりあらゆることにネガティブな人です。これも波長の法則によるのです。

太陽はあっても空が曇ると、それが見えないのと同じように、ネガティブな想念がつくり出す曇ったエネルギーのせいで、ガーディアン・スピリットのエネルギーが注がれないのです。これが「間《ま》が差す（魔が差す）」ということなのです。

ネガティブな想念の曇りによって間を遮《さえぎ》られ、日の光を浴びることができないのです。

逆に、あなたが人をいたわり、やさしさや思いやりを持って接するとき、ガーディアン・スピリットはあなた自身を照らしてくれます。たとえあなたが困難なときを迎えても、問題に直面しても、そのとき最も必要なサポートをしてくれるでしょう。

そして、あなたの波長がより高くなれば、より高いエネルギーを持ったスピリットと入れ替わります。このことも知っておいてください。逆にあなたの波長が下がったとき、今まであなたをサポートしてきた高級なスピリットが去っていくこともあるのです。それはガーディアン・スピリットに責任があるのではなく、あなた自身がそのサポートを多く受け入れるか、より少なくさせるかを決めていることを忘れないでください。

グループ・ソウルの法則

あなたがどんなに孤独を感じているときでも、あなたをあたたかく見守る存在、それがガーディアン・スピリットです。ガーディアン・スピリットは常にあなたをサポートしています。ですからどんなときでもあなたは一人ではないのです。では、そのガーディアン・スピリットは、なぜあなたをサポートしてくれるのでしょうか。

スピリチュアル・ワールドにはたくさんのスピリットのふるさとがあります。その中の一つからあなたはやって来たのです。そのふるさとをグループ・ソウルといいます。このグループ・ソウルの中にこそ、あなたを導き守るガーディアン・スピリットたち、そしてそれがあなたの前世を生きたスピリットなのです。

あなたは「一人」ではありません

グループ・ソウルを、コップに入った一杯の水と考えてください。その水は少し濁っています。その濁った水があなたのふるさとであり、水の成分は、あなた自身のたくさんの前世とガーディアン・スピリットたちの個性です。

水の濁りはあなた自身の未熟さなのです。たとえば、あなたの本質がやさしさに欠けるとしますと、それが濁りです。

あなたはグレート・スピリットを目指して、スピリットを成長させつづけなければなりません。スピリットの旅は、永遠に続く進化向上の旅です。つまり、濁ったあなたは、より透明で清らかな水を目指していかなければならないのです。

水をきれいにするためには、コップの中から濁った水を一滴一滴外（現世）へ出すことが必要です。その一滴として現世に生まれたあなたは、現世で多くの喜びや悲しみを経験し、浄化され、美しくなり、スピリットを向上させ、またコップの中に戻っていくのです。

一滴ずつが地道に透明できれいな水に変わっていけば、濁った水はやがて透明で美しい水に変わります。その透明で美しい水こそが、グレート・スピリットなのです。

そこへ到達するという目的のためにスピリットは再生をくり返すのです。

私たちは未熟であるからこそ、現世へやって来ます。もし、グレート・スピリットへの到達を果たしてしまったら、現世に来る必要はありません。私たちは落ちこぼれた天使なのです。あなたは、あなたのグループ・ソウルをより向上させるため、本当の幸せに近づくために、その代表として現世に来たのです。そのあなたを助けるために、グループ・ソウルのスピリットたちは、ガーディアン・スピリットとなって応援してくれているのです。

しかし、現世に降りてきたからといって、必ず浄化され、向上するというものではありません。「言葉」「思い」「行動」に責任も持たず、スピリットの向上に努めず怠惰に生きれば、透明な水になるどころか、より濁りを増してしまうでしょう。

それでは生まれてきた意味がなくなり、せっかくの苦労も台無しです。スピリットはみなこのように大きな役割を担っているのです。

同じ時代に同じグループ・ソウルから、あなた以外にも別のスピリットが現世に生まれてくることがあります。それはツイン・ソウルなどといわれています。

あなたの人生の宿題を知る

最近は「前世」に興味を持つ人が多いようです。誰にでも前世はあります。しかし、その前世の名前・国・性別に関心を持つのは無意味です。

それよりも、なぜあなたが前世からバトンタッチして現世に来たのか、つまり、自分のスピリットに何がまだ足りないのかを知ることのほうが重要です。

それを知るには、今生きているあなたの「思いグセ」を知ればいいのです。人はみな同じようなつまずきをくり返すものです。それこそが今のあなたの課題なのです。

そして日々あなたが出会う人や事柄、そのすべてに意味があります。

この世に偶然はないと言いました。不必要なことは何もないのです。すべては、自らのスピリットが自らの成長に必要なカリキュラムにそって与えた課題なのです。ガーディアン・スピリットを知ることで、生まれてきた本当の意味を知ってください。

そしてあなたの旅が、多くのグループ・ソウルのスピリットたちから応援され、見守られていることに気づいてください。

カルマの法則

幸せになるのはとても大切なことです。しかし、幸せになりたい気持ちばかりが先にたって、まわりの人に対する思いやりの心や感謝の気持ちを忘れてはいませんか？ほとんどの人が他者に配慮せず、自分自身の未来にいいことばかり望みがちです。しかし、それでは幸せにはなれません。

スピリチュアリズムでは「カルマの法則」というものがあります。

カルマとは因果律のことで、「自らまいたものを刈りとる」「よきも悪しきも、した分だけ等しく返ってくる」というものです。私たちは等しくこの法則の上で生きています。カルマとは悪い意味ばかりではありません。ですから、幸せになる方法もとても単純です。つまり、このカルマの法則を実行すればいいだけのことなのです。

人間関係はあなた自身を磨く磨き砂

あなたが誰かの悪口を言ったとしましょう。すると、それがカルマになって、あなたも誰かから悪口を言われることになります。しかし、そこでつらい思いをすることで、あなたは悪口を言うことの間違いを知り、二度と悪口を言わないようになります。しかし、ここで問題なのは、あなたの悪口を言った人との接し方です。その人を憎んだりしてはいけません。あなたを悪口を言わない人間にしてくれた恩人なのですから。しかも、その人は「悪口を言った」というカルマを背負ってくれたのです。

つまり、日頃あなたにつらくあたる人はすべて、あなたのカルマを解消しようとしてくれているのです。そういう人を憎んでしまうと、あなたに「人を憎んだ」というカルマが生まれます。つらくあたられることでカルマを一つ解消しても、それを憎むことでまた一つ増えてしまうのです。

人間関係はあなたのスピリットを成長させるための磨き砂です。何か問題が起こったとき、そこから学ぶ素直さを持ちましょう。気づき、目覚めることこそ宝です。もし、カルマを背負うような心のあり方で過ごしてきてしまった人は、どうか心から反省してください。そうすれば、それがグレート・スピリットに伝わり、カルマが解消されます。

しかし、わかってはいても私たちは未熟さゆえに人を憎んだりしてさまざまなカルマをつくりがちです。しかし、憎んでしまったらすぐに「ごめんなさい」と謝ることです。それによってカルマは解消されます。

そしてすばらしいカルマをぜひ増やしてください。「人に親切にする」「人の幸せを祈る」など、よいカルマの種をたくさんまいてください。それは確実にあなたに返ってきます。よいカルマを積めば、必ず幸せが訪れるのです。

運命の法則

あなたは、今私たちが生きている世界は「波長の法則」、そして「カルマの法則」の上に成り立っていることを知りました。

一生の中で出会う「幸せ」「不幸」はすべて、スピリットの存在であるあなた自身のマインドがつくり上げた現実なのです。

そして、あなたがつくり上げている現実だからこそ、あなた自身でつくり変えていくことができることを知ってほしいのです。

運命と宿命

「波長の法則」「カルマの法則」からもわかるように、あなたの運命は決して決められているものではありません。何事も運命のせいにする「運命論者」は、少しでも思うようにいかないことがあると「私は不幸な運命なんだ」と結論づけて、そこから成長しようとしません。

考えてもみてください。もし、運命がすでに決められているのであれば、人が生まれてくる理由などどこにもありません。決められた通りの人生をただ生きていけばいいのですから、努力をする必要も悩む必要もないのです。

この世の「幸せ」も「不幸」も、あなた自身のマインドがつくり出すものです。あなたは自分自身の考え方で運命を動かすことができるのです。このことを忘れないでください。

しかし、あなたの人生の中でただ一つだけ決まっていることがあります。それが「宿命」と呼ばれるものです。

性別や、国籍、家族環境は自分の努力ではどうしようもありません。これらはあなたの宿命なのです。ただし、男なのか、女なのか、日本人に生まれるのか、というのを選んで生まれてきたのは、スピリットの存在であるあなたです。あなたがあなたのスピリットを輝かせるために最もふさわしい国籍や性別、家族や環境を選んできたということなのです。

学校にたとえるとわかりやすいでしょう。あなたがある学校に進学したとします。制服、校則、授業のカリキュラムなどは、その学校であらかじめ決められているものです。これが宿命です。

では、同じ学校に入学したからといって、生徒全員が同じ体験をするのでしょうか。教師を否定して不満ばかり言いながら過ごすこともできれば、教師と積極的に仲良くなってさまざまな知識を得ることもできます。

同じ学校で、同じ制服を着て、同じ教師に学んでも、その学校での経験には個人差があります。学校の中でどれだけ自由に、有意義に過ごすかはあなた次第ということなのです。その学校でどんな体験をするか。これが運命です。運命は自分の力で変えられるのです。

今このときを充実させることが幸せへの近道

ところで、私は『an・an』等の雑誌誌上で社会の予言などもしています。その中で天災などを予測すると、必要以上に恐怖心を持つ人がいます。また飛行機などの事故を恐れる人もいます。しかし、天災で死ぬ宿命ならば死にますし、飛行機が落ちて死ぬ宿命であれば死ぬのです。人の寿命は、カルマや宿命で決まります。もちろん、その宿命は生まれる前に自分で決めたものです。ですからもがいても仕方ありません。

それよりも、その事実はむしろ私たちに平安をもたらしてくれます。逆に言えば、カルマや宿命で決められていないことは決して起きないということだからです。どのような災害が起きようとも、それによって死ぬという宿命やカルマを持たない人は死なないのです。私たちには必要以上の幸せも不幸もありません。

人生とはどれだけ長く生きたかが大切なのではなく、どれだけ充実した生き方ができたかが大切なのです。いたずらに明日を思いわずらうより、今このときを充実させることが大切です。あなたの人生はあなたがつくっています。あなたの運命もあなたが決めているのです。宿命とはあなたがこの世に生まれてきた目的、本当の幸せと出会うための鍵となるものなのです。

幸福の法則

あなたは自分のマインドの働きによって「運命」という人生のコースを選べます。人生の中で決められているかのように見える「宿命」さえも、あなたがこの世に生まれてくるときに自らが選んできたコースなのです。

あなたの人生は、あなたのマインドが選んでいるものなのです。あなたが遭遇する「幸せ」も「不幸」も、すべてあなた自身の自由意思によって決まることを忘れないでください。

本当の「幸せ」に出会う方法

あなたは「愛」を学ぶために生まれてきました。あなたは本当の「幸せ」と出会うために地上に降りてきた存在なのです。

ですから、宿命とは、あなたが生きていく過程で愛を学び、そして本当の幸せに出会うために最も必要として選んできた「教材」といえるでしょう。

ここで「カルマの法則」をもう一度思い出してください。それは、あなたのマインドの働きがつくり出した霊的なエネルギーは、それがどんな思いや感情であっても、同じ量のエネルギーとして確実にあなたのもとに返ってくるというものでした。

あなたのもとに訪れる現実にはあなたから生じた「原因」があります。その「結果」として現在があるのです。

くり返しになりますが、それは、あなたが生きている間に限られたものではありません。スピリットの存在であるあなたの個性は死を迎えてもそのまま存続します。

あなたというスピリットが前世、現世、来世と、永遠に成長を続けているということは、あなたがこの地上にいる間にネガティブなマインドの働きを清算できなかったためなのです。つまりあなたとグループ・ソウルが再生をくり返し、何度も地上に降りてくるのは、大きなエネルギーの流れである「原因」と「結果」の帳尻を合わせているのです。

そして帳尻が合ったとき、スピリットは一点の曇りもなくなり、コップの水は透明になります。そしてグループ・ソウルともどもグレート・スピリットのもとへ導かれることになるのです。

あなたは本当の愛と喜びを学ぶために、最も適切な経験の場として、あなたの国や、あなたの両親を「宿命」として選んできたということを忘れないでください。

あなたはその宿命の中でいろいろなことに直面していることでしょう。

あなたは、その人生で直面するすべてのことを受け止めて解決していこうとする前向きのマインドを持てば、現実の世界だけでなく、グループ・ソウルからのサポートも受けることができるのです。そして、よりよい現実としての「幸せ」や「喜び」が二重、三重にもやってくるのです。

どんなに小さな罪にも償いがあるのはすばらしいことです。それは、小さな善意も必ず返ってくることを保証してもいるのです。

あなたはグレート・スピリットの一部であり、その愛が注がれている人間だということを忘れないでください。

幸せは、「与える」ことによってあなたのもとにやってくる

あなたが本当の幸せに出会うためには、あなた自身がまずまわりに愛と奉仕の気持ちを与えることです。そうしてはじめてあなた自身が本当に喜びを受けとる人生とな

るのです。

あなたが愛情を求めるなら、まず愛情を与えればいいのです。幸せを求めるなら幸せを与えればいいのです。しかし、「これだけ与えたのだから、これだけ返ってくる」という打算が入ってはダメです。打算はネガティブなエネルギーだからです。

そして、本書で紹介してきた法則に身をゆだね、まわりのすべてに真実の愛と喜びを与えることです。あなたは愛を与え、喜びを与えることで、本当の幸せと出会うことができるのです。

Chapter 8

幸運を引きよせる
スピリチュアルな一日

一日のうちでも、心と体は時間帯によって微妙に変化しています。その時間に合わせた気持ちの持ち方や行動の仕方によって結果はまるで違ったものになります。たとえば、出かけるときになりたい自分をイメージしてみる。休みの日は早起きをしてみる。たったそれだけのことでも違いは現われます。

いつもと変わらない一日も、スピリチュアルな心の態度、生活態度を取り入れるだけで、驚くほど充実したものになるはずです。

この瞬間にも、あなたを守ってくれているスピリットたちはメッセージを送っているかもしれません。それに気がついて力を受けとれるか受けとれないかはあなたの心がけ次第なのです。

幸運の扉を開く一日の過ごし方

【朝】……一日を快適に始めるための「準備時間」

朝、元気よく目覚めるために必要なのは、夜、ぐっすりと眠ることです。

人は寝ている間に霊的な世界に帰っています。睡眠時間は里帰りの時間だと考えてください。ウルトラマンが、時間がたてば故郷の星に戻っていくのと同じです。

人間はものを食べなくても、ある程度は生きていけますが、眠らないと死んでしまいます。眠りの中で、霊的なエネルギーを補充しておかないと、人間は生きられないからです。そのための睡眠ですから、食事以上に大切なのです。

ところが、現代人はしっかり睡眠をとるということがなかなかできないようです。

一週間の中で、少なくとも一日は、いい時間帯にぐっすり眠ってください。

いい時間帯とは、霊的な世界への扉が開きやすい時間帯のことで、午前1時〜午前2時です。ですから、眠りにつくのは、この時間より前、できれば12時より前がいいでしょう。この時間帯に眠らないで起きている人は、それだけで体調を崩しやすくなります。魂のエネルギーが少しも補給されないからです。

仕事によっては、12時前に寝ることが不可能な人もいると思いますが、週に一度ぐらいは、霊界の門が開くこの時間帯に寝てください。それが、朝、元気いっぱいに目覚める秘訣です。

さらに、部屋の中に観葉植物を置いて、そのエネルギーをもらったり、112頁で紹介したように、水晶で邪悪なエネルギーを除去したりすることも、心地よく眠るためには効果的です。試してみてください。

【一日のはじまり】……何か一つ、その日の「テーマ」を決めよう

さあ、これから一日が始まります。職場にしろ、学校にしろ、自宅から目的地まで向かう間はその準備をする時間です。この間に、自分のテンションをポジティブに高

めていくことが大切です。この時間は自分の波長を高める時間にしてください。

それが、今日一日、いい仕事をしたり、友人や恋人とうまくつきあったり、あるいはいい出会いを得たりすることにつながります。

自分の波長を高めるには、電車やバスに乗っているとき、少しの間でもいいからメディテーションをすることです。

まず軽く目を閉じましょう。そして、心地よい光を浴びて、自分が清らかに浄化されるイメージを描いてみてください。日によってイメージを変えてもいいでしょう。たとえば、雨の日にはさわやかな常夏の島を、暑い日なら涼しげな清流を思い浮かべてみてください。そして、その中にいる自分をイメージして、心地よさを体感してください。すると、自分自身の心がリラックスして落ち着いてきます。

これを毎日続けていると、イメージする力も強くなって、いつでもごく自然にリラックスできるようになってきます。どうしてもイメージがうまく描けないときは、ゆっくり深呼吸をして、呼吸を整えてみましょう。

このイメージができて心が落ち着いたら、次に今日一日で克服したいことをガイド・スピリットに祈ってください。

たとえば、「今日は、苦手なあの人と、うまくつきあえますように」でもいいし、「企画会議で、うまくプレゼンテーションができますように」でもかまいません。

何か一つ、自分でその日のテーマを決めて、祈りましょう。その祈りは必ずガイド・スピリットに届きます。このメディテーションと祈りによって、その日一日のあなたの声、表情、すべてが変わってくるはずです。

【午前中】……ミスが減り、仕事の効率も上がるテクニック

午前中は、体がまだしっかり動きません。仕事をしていても、集中力に欠けたり、ミスが出たりしがちです。そういうときは特に呼吸に気をつけましょう。酸素を多く取り入れることが大切なのです。10秒でもかまいません。108頁でご紹介した呼吸法を実行してください。

まず鼻から息を吸って、きれいなエネルギーが体のすみずみにまで行きわたる感じをイメージします。そして口から息をゆっくりと吐いて、汚いエネルギーが体の外に出ていく感じをイメージします。これをくり返すのです。

すると、まだ目覚めていない体が活性化してきます。ミスも減り、仕事の効率も上がって、ツキがめぐってくるのです。

【お昼】……大切な話、うち解けた話はこの時間帯に！

人とうち解けた話をしたい場合、あるいは、大事な話を持ちかけたい場合は、昼の時間帯を使ってください。人に話しかけるときは、基本的に忙しい時間帯は避けるものですが、特に昼を選んでほしいのです。

昼は、一日の半分が終わって、どんな人でもホッとする時間帯です。体の機能もインスピレーションも活性化して、ほどよいテンションになっています。

こういうときこそ、いろいろな人とコミュニケーションをはかったり、自分を主張したりしましょう。仕事の話でもプライベートな話でもかまいません。相手の理解力、集中力が高まっているので、こちらの主張を誤解なくインプットしてくれるでしょう。この時間帯を逃さず、相手の心に話しかけてみてください。

また、昼食は、きちんととるようにしましょう。ただし、大量に食べるのはよくありません。せっかく冴えてくるインスピレーションがボケるからです。満腹になると、どうしても感覚は鈍ります。

ですから、インスピレーションを使う人は、あまり食事をとってはいけないのです。仕事が忙しいときは、特に昼食の量に気をつけてください。食べすぎないこと。体によいものを適量とるのがベストです。

【午後】……余計なトラブルを避ける過ごし方

午後は、疲れが出てくるときです。午後になって気になったこと、気がついたことがあっても、行動を起こすのは、翌日のお昼まで待つほうがいいでしょう。もちろん急を要する場合は別ですが、午後に生じた問題にすぐに手をつけると、トラブルになりやすいのです。

ただでさえ集中力を欠きやすい時間帯なので気を引き締めないと、思わぬトラブルが生じます。実務的なケアレスミスというより、ちょっとしたコミュニケーションの行き違いで、人間関係におけるトラブルが生じやすいのです。

たとえば、会社で後輩のミスが気になったとしても、それをすぐに注意するのはやめたほうがいいでしょう。神経が疲れている上に、アフター5を考えて気もそぞろになっている午後の時間帯です。注意や小言を聞かされても、相手は憂鬱になるだけです。こちらの真意を素直には受けとってもらえません。

ですから、その場ですぐに言わず、翌日のお昼に言うように心がけましょう。すると、同じことを言うのでもやわらかく話すことができて相手も好意的に受け止めてくれるはずです。

【アフター5】……10年後の自分のための時間です

アフター5は、友人や恋人との食事、飲み会で盛り上がることも多いでしょう。しかし、盛り場には未浄化なスピリットがたくさん浮遊しています。はめをはずしすぎると思わぬところで足をすくわれますから、注意してください。

精神的に疲れているときはにぎやかな盛り場より、落ち着いたレストランでゆったりと食事をするほうがいいでしょう。あるいは、コンサートなどで好きな音楽を聴いてリラックスするのもいいでしょう。

また、将来に備えて自分を磨けるのは、アフター5しかありません。転職を考えるとしても、そのための技量を磨くことが必要です。アフター5をその時間にあててください。

アフター5は、未来に直結する時間です。10年後、「こうなっていたい」というビジョンを実現するために、アフター5を有効に活用し、10年後の自分を考えた行動をとってください。昼間は現実的な「今」を生きて、アフター5は「未来」を生きる。

そんなふうに、メリハリをつけることが大切です。

【帰宅してから】……眠る前の5分で不思議な力があなたに宿る！

一日の締めくくりには、「感謝の気持ち」を忘れないでください。

あなたは、見守られている存在です。今日一日、救われたこと、うまくいったこと、反省させられたこと、さまざまあるでしょう。すべてに対して感謝すること。それを一日の締めくくりにしましょう。

朝に決めた一日の課題を達成できたかどうか、それも内観してください。そうすれば、また翌日への意気込みもわいてくるはずです。

眠る前の5分でもかまいません。それだけで生活がかなり変わってくると思います。

こう書くと、「お行儀よくしなさいということね」と誤解されるかもしれませんが、そうではありません。

感謝をするというのは、自分の信念や信頼をガイド・スピリットに伝える、ということです。それは必ず、明日の自分の行動に影響してきます。

毎日の感謝を続けていけばいくほど、目に見えない力を感じるようになります。「自分の思いに応えてもらえた」ということが必ず、現実の生活の中で起こります。

たとえば、不思議な偶然の一致が起こったり、望んでいたチャンスがやってきたり、そういうことが必ず起こるのです。そのとき、「ああ、自分は見守られている」と実感できると思います。

難しいことではありません。眠る前の5分、ただ感謝すればいいのです。

【夜】……夢が教えてくれる大切な「答え」

あなたは夢をよく見るほうでしょうか？

よく同じ夢を何度も見るという人がいます。くり返し見る夢は、人生の転機を示しています。予知夢（霊夢）といわれるものです。そういう夢を見たあとは、結婚をしたり、転職をしたり、引っ越しをするなど、人生の転機を迎えます。

基本的に、浅い眠りのときにこういう夢を見るのですが、そのときの脳波は霊能者の脳波と同じです。人は浅い眠りにあるとき、みんな霊能者です。そういうメッセージを伝える夢や、インスピレーションは大切にしてください。

ただし、それに振り回されてはいけません。インスピレーションにこだわると、それを誤解して、間違ったチャンスに飛びついてしまったりする場合があるのです。

ですから、何かを暗示するようなことがひらめいたらすぐに書きとめておくのが一番です。文字にすることで、心に定着させて一度おさめておく。すぐに利用しようとしてはいけません。一度や二度のインスピレーションでは、示すものが不明瞭であることが多いし、それを深く掘り下げても意味はわかりません。

ただ、本当にスピリチュアル・ワールドからのメッセージであれば、必ず何度でも、わかるように伝えてきてくれます。「わかるように教えてください」と祈るだけでいいのです。それ以上は関知せずに、あとで振り返ったとき、はじめてその意味がわかってくる——そういう接し方がベストだと思います。

休みの日の過ごし方

【朝】……休みの日こそ早起きをしよう！

休みの前の日は、うれしくて夜更かししがちです。けれど、休みの日にこそ、早めに寝て、そして早く目覚めましょう。
休みの日に遅く起きると、睡眠は十分とれますが、すぐに夜が来て、一日を無駄にしたような気分になります。そういうことを避けるためにも、休みの前日こそ、早く就寝するようにしたいものです。
また、朝の太陽の光や雨の恵みなど、自然の恵みを実感できるのは、休みの日だけです。
通勤・通学途中では、気があせったり張り詰めたりしているため、なかなかそうはいきません。休みの日こそ、目覚めたときに太陽の光を感じたり、雨の音に耳をすませたりして、心を癒してください。

目が覚めたら、いつもエネルギーをくれている観葉植物に水をあげるなどして、自然となるべく戯れましょう。散歩に出るのもいいものです。途中で木々の葉を眺めたりして、心を和ませてみてください。

都会の中でも、自然は身近にあります。そのヒーリング力に身をゆだねましょう。

【昼】……外に出る、人と話すことで自分自身を浄化する

休みの日には、自分自身の心の解放を第一に考えてください。

肉体的に疲れがあるときは、家でゆっくりしていてもいいのですが、そうでなければ、極力、仕事とは関係のないプライベートな友人と会いましょう。より多くの外界の刺激にふれることが大切です。

会社や学校だけの関係だけとつきあっていると、井の中の蛙《かわず》になってしまいます。

仕事や学校関係以外の友人から新しい情報を得たり、自分自身の思いを誰かに話した

りすることで、その一週間の仕事で疲れた自分を癒し、活力を得ることができるのです。

情報を得るという意味でテレビ番組をチェックしたり、一週間分の新聞をまとめ読みするなど、平日にはできないことをしておくのもいいことです。

昼下がりは、新しい週のための準備をするのにいい時間帯です。翌日のためには、体を少し動かすほうがいいのです。調べ物をしたり、書籍を買ったりするために街に出るのもいいでしょう。もちろん、買い物を楽しむのもいいでしょう。そうやって体を動かすと、翌日のための力が養えます。

また、そうやってさまざまな情報にふれたりしていると、インスピレーションとはっきりわからないまでも、何気ないときにちょっとした「気づき」がしばしば起こるようになります。

インスピレーションは、霊界からの教えです。ピンとひらめいたり、第六感が働いたように感じたときは、すぐにそれに従って行動を起こすのではなく、自分の中であたためてください。ノートに書きとめたり、日記につけたりしておきましょう。

すぐに人に話して分析してもらうのではなく、まずは、自分の心の中でじっくりと内観することが大切なのです。

あたためているうちに、そのインスピレーションが具体化してきます。

一つのインスピレーションは点かもしれませんが、それを積み重ねていくと、点がいくつも現われ、やがて線になって見えてくるものがあります。それがスピリチュアルなメッセージなのです。

【夜】……休みの日の夜はとっておきの食事をしよう

休日の夜は、とにかく食事を大切にしてください。日頃、あわただしい生活の中ではとりにくい食品を選んで食べることです。

たとえば、海草、野菜、果物などは、会社勤めをしていると、なかなか口に入りにくいもの。休日だからこそ、多少は手のかかる凝った料理をつくり、食後にはゆっくり果物をいただいて、体調を整えたいものです。

【寝る前】……明日からの一週間を元気に過ごす入浴法

また、入浴にも時間をかけましょう。109頁でご紹介した入浴法を念入りに行なってください。日頃の汚いエネルギーを出して、ストレスを発散させる。水道管のつまりをとるような気持ちで、ゆったりお湯にひたってください。

そして、明日からまたよいインスピレーションを授かるように願ってください。

また、次の一週間をどういう週にしたいのか、少し考えてみることも大切です。

そのとき、少しでも楽しいことを思い浮かべて、テンションを高めましょう。たとえば、「今週はコンサートに行く予定が入ってる」「幼なじみと久しぶりに会う約束をしている」といった楽しいイベントのことを考えてみましょう。

「今週は会議がある」「あの会社の人を接待しなければ」「明日のテストは大丈夫かな」など、義務的なことを考えると憂鬱になりがちです。それよりも楽しいイベントのことを優先的に考えてください。すると明日への意欲がわいてきます。

そういうことすべてが、明日からまた元気よく活動するための源となるのです。

今日からできる「欲しい運」を手に入れる16の方法

恋愛運 〝恋する気持ち〟を具体的にイメージして、自分の心に正直になる努力を大切に

☆恋愛・結婚を進めたいなら、表現を大切にするところから始めよう。「出会いがない」「素敵な男性がいない」などとぼやく前に、まず自らが恋愛や結婚に興味があることをアピールしてみよう。そうしないと、自分の気持ちとは裏腹に、「恋愛に興味がない人」と思われてしまう。

☆気になる人がいるなら、その人の写真を壁に貼って、それに向かって一日一回、できれば夜に話しかけよう。その人が実際にそこにいると思って、ニコニコと明るい感じで。いい恋愛をイメージしていると、素直に自分の思いを伝えられるようになる。

☆もっと恋愛運をアップさせたいなら、明るい印象をつくること。特に口角を上げて、常にほほえんでいるような印象を与えよう。恋の望みを叶えるには、眉間のうぶ毛は

剃って、きちんと手入れをしておくこと。

☆部屋の中で観葉植物などを大事に育てて、植物の生命パワーを分けてもらうようにすると、自分の恋についての思いもパワーアップする。

仕事運

仕事は人と人とのつながりから生まれるもの。自己中心的にならないように気をつけること

☆常に周囲に気を配り、「気をつかう」より「気が利く」人間であるように心がけること。そして、相対した人々には常に何か一カ所ほめるように。そうすることであなた自身もほめられ、よい運の輪ができて回っていくようになる。

☆玄関をきれいに清め、ドアに向かって鏡を置く。鏡はさまざまな邪魔や邪念が入ろうとしてくるのを力強くはね返してくれるお守り。仕事上のトラブルや、ライバルの敵意などを防ぐことができる。

☆仕事運を上げたいなら、土地の氏神さまにきちんと願いを伝えること。自宅と仕事場、両方の氏神さまも大事にしたい。通勤途中にあるなら、前を通るときに手を合わせたり、普段から何かの折に相談や報告に行く感じで訪れるのもいい。そのときは、心の中で、自分の住所・氏名をきちんと名乗ること。

☆先祖も大事に思うこと。何代も続いてきた人のつながりです。中には今の自分に足りない能力を持っていた人もいたはず。そのパワーをわけてもらうためにも先祖を敬う気持ちを忘れないこと。

健康運

常に健やかにいられるようにしたいなら、深呼吸や入浴など、基本中の基本を大事に

☆毎朝起きたらまずは深呼吸を。窓をあけ、肩幅くらいに両足を開いて立ち、ゆっくりと深く息を吸い、丹田に息をためる気持ちで一度息を止める。そこから頭、手足の先まで体全体にその息を3周まわすようにイメージ。そして体にたまっていた悪いエ

ネルギーが細い糸になって口から出ていくのをイメージしながら、ゆっくり息を吐き出す。これを続けて体の中からリラックスすれば健康運もアップ。

☆毎日シャワーですまさずに、入浴を大事にする。入浴は、言ってみれば手軽にできる「禊《みそ》ぎ」のようなもの。ゆっくりとお湯につかって汗をかき、全身の毛穴から汗とともに、疲れや悪い気が出ていくようなイメージを持つとベスト。

☆疲れているときほど、おしゃれを。心を喜ばせることで、体内もより活性化する。

☆なかなか寝つけないときは、丹田に手を当てて仰向けで寝たり、北枕にしてスピリチュアルなパワーをもらうといい。

金運

「金は天下の回りもの」をもう一度自覚して。日々の徳の積み重ねから金運がめぐってくる

☆臨時収入があったり、自分にいいことがあったりしたら、大きな額でなくてもいいので、誰かにごちそうするといい。楽しい心で人をもてなすことにお金を使う心がけでいれば、いつかきっと自分のところにも金運が戻ってくる。

☆言葉の力を大事にする。「殖える」とか、「貯まる」とかいうポジティブな言葉を日頃から多く言うようにするといい。

☆インテリアにゴールドのものを取り入れる。金縁の額や、鏡を置く。またゴールドのもの以外なら水晶を置くのも空気を清め、運気を上げるので、金運にも効果あり。

☆お金のことを考えるなんて上品じゃないと思いながらお金を貯めようとしないこと。お金のことを考えるのはポジティブなことと考えよう。

エピローグ

私がこの本の中で語っている幸福になるための法則――それはただのインスピレーションではありません。その土台となる思想がきちんとあるのです。それがスピリチュアリズムです。

その歴史について少しお話ししておきましょう。

スピリチュアリズムの始まりは、1848年、アメリカのハイズビューという村にあった一軒の家で起こったポルターガイスト事件です。

その家には幼い姉妹がいました。頻発するラップ現象の中で、彼女たちはあることを思いつきました。ラップを使ってオバケと話そうというのです。

「オバケさん、もし本当にいるのなら私が手を1回叩くから、同じ数だけ叩いてね」

そう言って手を叩くと、「ピシッ」と答えが返ってくる。2回叩くと2回ラップ音がする。

　こんな具合に霊界との交信は始まったのです。

　それが次第に高度になり、アルファベットをたどりながらの交信までできるようになったのです。幼い彼女たちのアイデアは人類が偉大なプレゼントを受けとる最初の一歩をつくったのでした。

　その交信の結果、そのオバケの正体はチャールズ・ロスナーと名乗る行商人で、かつてこの家の住人に殺され、家の地下に埋められていることがわかりました。

　当時、科学のメッカといえば英国でした。そこで英国の科学者たちがこぞってこの村の調査に入ったのです。その中には、作家のコナン・ドイルもいました。

（日本で話題になった妖精映画「フェアリーテイル」の中にも彼が登場しましたが、この物語は実話なのです。）

　その後もその不思議な現象は英国でさらに研究されました。その研究所は当時ケンブリッジ大学にあり、研究者としてタリウム元素の発見者であるウィリアム・クックスやノーベル賞を受賞した生理学者シャル・リシェなどが名を連ねていました。彼らは、この頃誕生したミーディアム（霊媒）を使った実験で、さまざまなスピリットとの交信に成功しています。特にこの時代はエクトプラズムとして出現したスピリットとの対話が盛んでした。

これらの研究によって彼らはスピリット、そしてスピリチュアル・ワールドの存在を確信するにいたったのです。

それから、私たちがなぜ生まれて生きるのか、本当の幸せとは何かという真理を探求するようになったのです。

これは人類にとっての偉大な福音となりました。

これらの霊交による思想をスピリチュアリズムと呼ぶようになり、私のようにその思想に従い、生きる者をスピリチュアリストと呼ぶようになったのです。

1848年に起こったポルターガイスト事件は単なるオバケ騒動ではありません。私たちに霊性の目覚めを起こすためのスピリチュアル・ワールドからのメッセージだったのです。

この150年にも及ぶ流れは現在まで連綿と続いています。コナン・ドイルも会長を務めたSAGB（英国スピリチュアリスト協会）は現在もあり、私も会員です。スピリチュアリズムをさらに研究するため英国へ留学したときも、このSAGBで特に多くのことを学びました。

また、英国にはカレッジ・オブ・サイキック・スタディーズといったスピリチュアルの学校もあり、その他ヒーリングの団体も多数あります。ヒーラーは1万人以上います。

その中の一つで世界中に会員を持つＷＦＨという連盟に、私も所属しています。そこに入会するには、各団体でレクチャーを受け、いくつものテストにパスしなければなりません。英国のスピリチュアリズムはそれほどアカデミックなのです。

英国ではスピリチュアリズムが広く認知されていますが、その理由の一つとして英国王室がこの分野にとても造詣が深いことがあげられます。

現在の私のスピリチュアリズムは、英国で学んだこのスピリチュアリズムの土台をもとに、自分のインスピレーションによって得たスピリチュアル・ワールドからのメッセージを加えたものです。

日本はもともと精神性の高い国です。これからは日本が精神性の高い生き方を示して世界をリードしていかなければなりません。

ＷＨＯ（世界保健機構）も、人間の健康の条件の中に「スピリチュアル」という言葉を加えました。日本ではその言葉をどう訳すか論議されています。なぜなら、一番的確と思われる「霊性」という言葉を用いれば「霊《たましい》」を認めざるをえなくなるからです。

「非科学的」だとして、スピリチュアルな世界を信じようとはしなかった人々も、変わらざるをえないような状況になりつつあります。日本をはじめ、世界は今、新たなる「心の夜明け」を迎えようとしているのです。

最後に、この本を出版するきっかけをつくってくださった中森じゅあんさん、そして推薦の言葉を書いてくださった林真理子さんに、この場を借りましてお礼申し上げます。

江原啓之

《Chapter4　お金》

《Chapter5　仕事》

《Chapter6　願望実現》

《Chapter3　健康・美容》

（1）

心が軽くなる処方箋

《Chapter1　人間関係》

《Chapter2　恋愛と結婚》

本書は、本文庫のために書き下ろされたものです。

幸運《こううん》を引《ひ》きよせる
スピリチュアル・ブック

著者　江原啓之（えはら・ひろゆき）
発行者　押鐘冨士雄
発行所　株式会社三笠書房
〒112-0004 東京都文京区後楽1-4-14
電話　03-3814-1161（営業部）03-3814-1181（編集部）
振替　00130-8-22096　http://www.mikasashobo.co.jp
印刷　誠宏印刷
製本　宮田製本

　ISBN4-8379-6082-0　C0130

落丁・乱丁本は当社営業部宛にお送りください。お取替えいたします。
定価・発行日はカバーに表示してあります。

王様文庫